Pourboires

Officiellement, les pourboires ne sont pas en usage en Union Soviétique et il arrive qu'ils soient refusés. Mais, en pratique, la personne qui vous aura particulièrement bien servi appréciera un pourboire discrètement remis. Lorsqu'on rencontre ou que l'on quitte quelqu'un, la coutume veut que l'on échange de petits cadeaux; ce serait donc une bonne idée de vous munir de ces quelques présents avant votre départ.

Il n'y a pas de règles strictes concernant les pourboires. Tout est affaire de tact, et il est parfois difficile d'apprécier la valeur d'un service rendu, mais ce tableau peut vous tirer d'affaire.

HOTEL	
Service, note	10–15% inclus
Porteur, par bagage	50 kopecks
Chasseur, par course	10 kopecks
Femme de chambre, par jour	petit cadeau
Portier, appel d'un taxi	aucun
RESTAURANT	
Service, note	10–15% inclus
Garçon	10% (facultatif)
Vestiaire	50 kopecks
Lavabos	50 kopecks
Chauffeur de taxi	10% (facultatif)
Coiffeur dames/messieurs	10% (facultatif)
Guide	petit cadeau

D0582865

MANUELS DE CONVERSATION BERLITZ

Des manuels de conversation qui ne contiennent pas seulement les mots et expressions indispensables pour vous faire comprendre, mais aussi une transcription phonétique, des renseignements utiles à votre séjour et des recommandations en matière de pourboires.

Allemand
Américain
Anglais
Espagnol
Grec

Italien
Portugais
Russe
Yougoslave
    (serbo-croate)

CASSETTES DE CONVERSATION

La plupart des titres sus-mentionnés peuvent être obtenus avec une cassette, qui vous permettra de parfaire votre accent. Le tout accompagné d'un livret de 32 pages reproduisant le texte en deux langues enregistré sur cette bande.

RUSSE
POUR LE VOYAGE

Une publication des Guides Berlitz

6ᵉ impression 1989

Printed in Switzerland

Introduction

Vous allez partir pour la Russie. Ce manuel de conversation d'un type nouveau est destiné à rendre votre voyage plus agréable et à vous faciliter la tâche.

Le Russe pour le voyage met à votre disposition :

● toutes les phrases et le vocabulaire dont vous aurez besoin ;

● une gamme étendue d'informations touristiques et pratiques, de conseils et de renseignements utiles ;

● la transcription phonétique des mots et des phrases ;

● des tableaux spéciaux tenant compte des réponses possibles de votre interlocuteur. Il vous suffira de lui montrer la phrase adéquate pour qu'il vous en indique la réponse de la même manière. Ce système s'est avéré très pratique dans certaines situations (médecin, réparations de voiture, etc.). La communication s'en trouve facilitée : elle est sûre et rapide ;

● une présentation logique qui vous permettra de trouver rapidement l'expression correspondant à une situation donnée ;

● un système de repérage instantané par couleurs. Les principaux chapitres figurent au verso du livre ; vous trouverez un index complet à l'intérieur.

Voilà quelques-uns des avantages de ce manuel qui, en outre, vous permettra de vous familiariser avec la vie en Russie.

Un chapitre très complet est consacré au restaurant. Vous y trouverez la traduction et parfois la description de presque tous les plats d'une carte. Le guide des achats vous permettra de désigner facilement tout ce que vous désirez. Eprouvez-vous des difficultés avec votre auto? Consultez le guide de la voiture et ses instructions détaillées en deux langues. Vous sentez-vous mal? Notre section médicale est unique en son genre; grâce à elle, vous pourrez vous faire comprendre du médecin en un clin d'œil.

Pour tirer le meilleur profit du *Russe pour le Voyage,* commencez par le «Guide de prononciation», puis passez aux «Quelques expressions courantes». Ainsi, non seulement vous acquerrez un certain vocabulaire, mais vous apprendrez également à prononcer le russe.

Nous tenons à remercier tout particulièrement M. Thomas Lahusen pour sa collaboration et le Dr. T.J.A. Bennett, qui a créé le système de transcription. Nous exprimons également notre gratitude à l'agence de voyages soviétique Intourist pour ses précieux conseils.

Par ailleurs, nous serions heureux de recevoir tout commentaire, critique ou suggestion que vous pourriez nous faire en vue d'améliorer les éditions suivantes.

Merci d'avance et bon voyage!

Tout au long de ce livre, les symboles dessinés ici indiquent de petits passages dans lesquels vous trouverez des phrases toutes faites que votre interlocuteur pourrait utiliser. Si vous ne le comprenez pas, donnez-lui le livre ouvert au chapitre concerné, et laissez-le pointer la phrase désirée dans sa propre langue. La traduction française est juste à côté.

Mini-grammaire

Voici un aperçu de la grammaire russe, réduit au strict minimum.

Genres

Le russe possède trois genres: le masculin, le féminin et le neutre. Il n'y a pas d'article, mais on reconnaît le genre des substantifs à leurs terminaisons. Ainsi p. ex. le mot **отец** peut signifier, selon le rôle dans la phrase: père, le père, un père.

Voici quelques règles fondamentales de classification:

Substantifs masculins

1. Se terminant par une consonne dure:

стол	table	**мальчик**	garçon
глаз	œil	**стул**	chaise

2. Se terminant par une consonne molle:

учитель	instituteur

3. Se terminant par **-й, -ж, -ч, -ш, -щ**:

нож	couteau

Tous ces substantifs prennent des formes différentes au pluriel. La plupart du temps, vous rencontrerez les formes **-и** et **-ы**, mais également **-a**, **-я** et **-ья**.

ножи	couteaux	**глаза**	yeux
столы	tables	**учителя**	instituteurs
		стулья	chaises

Substantifs féminins

1. Se terminant par **-я** (après consonne molle):

неделя   semaine

2. Se terminant par un **-а** (après consonne dure):

книга   livre

3. Se terminant par **-ь** :

дверь   porte

Les substantifs féminins forment leur pluriel en changeant la terminaison **-а, -ь, -я** au nominatif en **-и** :

книги   livres   **недели**   semaines   **двери**   portes

Substantifs neutres

1. Se terminant par **-о** :

окно   fenêtre   **яблоко**   pomme

Le pluriel est formé en changeant **-о** en **-а** :

окна   fenêtres

ou en **-и** :

яблоки   pommes

2. Se terminant par **-е** :

поле   champ

Le pluriel est formé en changeant **-е** en **-я** :

поля   champs

Les cas

En russe, les substantifs (ainsi que les adjectifs et les pronoms) se déclinent. C'est-à-dire que leurs formes changent suivant leur rôle dans la phrase. La déclinaison russe a six cas comme en latin. Que cela ne vous effraie pas, c'est une difficulté facile à surmonter!

GRAMMAIRE

Voici les différents cas:

Le nominatif répond à la question **кто** (qui?) ou **что** (quoi?):

La jeune fille sourit.   **Девушка улыбается.**

Le génitif, cas du complément du nom, indique le possesseur et répond à la question: de qui?, de quoi?

Le sourire de la jeune fille…   **улыбка девушки …**

Le datif, cas du complément indirect, répond à la question: à qui?, à quoi?

Je donne ceci à la jeune fille.   **Я даю это девушке.**

L'accusatif, cas du complément direct, répond à la question: qui?, que?, quoi?

J'aime cette jeune fille.   **Я люблю эту девушку.**

L'instrumental désigne l'instrument, le moyen et la manière utilisés pour faire quelque chose. Il répond à la question: avec/par qui?, avec/par quoi?

Cette histoire à été   **Этот рассказ написан**
écrite par la jeune fille.   **девушкой.**

Le prépositif ou locatif est toujours précédé d'une préposition et répond aux questions: de qui/sur qui?, de quoi/sur quoi?, où?, quand?

Nous parlons de la jeune fille.   **Мы говорим о девушке.**

Adjectifs

Les adjectifs s'accordent en genre et en nombre avec le substantif.

Le nominatif masculin se termine en **-ый, -ой,** ou **-ий**.

Le nominatif féminin se termine en **-ая** ou **-яя**.

Le nominatif neutre se termine en **-ое** ou **-ее**.

Dans le tableau suivant, vous trouverez la déclinaison des trois genres.

	Masculin (tranquille soirée)	Féminin (timide jeune fille)	Neutre (bon numéro)
Singulier			
Nom.	тихий вечер	робкая девушка	счастливое число
Gén.	тихого вечера	робкой девушки	счастливого числа
Dat.	тихому вечеру	робкой девушке	счастливому числу
Acc.	тихий вечер	робкую девушку	счастливое число
Instr.	тихим вечером	робкой девушкой	счастливым числом
Prép.	(о)тихом вечере	робкой девушке	счастливом числе
Pluriel			
Nom.	тихие вечера	робкие девушки	счастливые числа
Gén.	тихих вечеров	робких девушек	счастливых чисел
Dat.	тихим вечерам	робким девушкам	счастливым числам
Acc.	тихие вечера	робких девушек	счастливые числа
Instr.	тихими вечерами	робкими девушками	счастливыми числами
Prép.	(о)тихих вечерах	робких девушках	счастливых числах

Pronoms démonstratifs

	Masculin	Féminin	Neutre	Pluriel
ceci	этот	эта	это	эти
cela	тот	та	то	те

Pronoms possessifs

Les pronoms possessifs russes peuvent être traduits en français de trois manières différentes: par un adjectif possessif, par un pronom possessif ou par un pronom personnel précédé d'une préposition. Par ex.: mon, le mien, à moi: **мой**.

Pronoms possessifs de la première et de la deuxième personne:

Masculin		Féminin		Neutre		Pluriel (de tous les genres)	
mon	мой	ma	моя	mon/ma	моё	mes	мои
ton	твой	ta	твоя	ton/ta	твоё	tes	твои
notre	наш	notre	наша	notre	наше	nos	наши
votre	ваш	votre	ваша	votre	ваше	vos	ваши

Pronoms possessifs de la troisième personne:

Possesseur masculin et neutre	Possesseur féminin	Possesseur de tous les genres
son/sa/ses его	son/sa/ses её	leur/leurs их

Remarque: **его**, **её** et **их** sont invariables en genre et en nombre.

Verbes

L'infinitif de la plupart des verbes est en **-ть** ou en **-ться**. Il y a également un certain nombre de verbes qui ont la terminaison en **-ти**, dont le plus important est le verbe **идти** (aller).

Voici la conjugaison au présent de trois verbes:

	брать (prendre)	давать (donner)	идти (aller)
я	беру	даю	иду
ты	берёшь	даёшь	идёшь
он/она/оно	берёт	даёт	идёт
мы	берём	даём	идём
вы/Вы	берёте	даёте	идёте
они	берут	дают	идут

La négation des verbes est formée avec la particule **не**. «Non» se dit simplement **нет**.

| Il n'est pas venu. | **Он не пришёл.** |

Remarque: Comme en français, on se tutoie et vouvoie. Le pronom du vouvoiement est **Вы**, toujours écrit avec une majuscule.

GRAMMAIRE

Guide de prononciation

L'alphabet

Dans la colonne de gauche sont indiqués les caractères majuscules et minuscules imprimés, alors que les lettres manuscrites figurent dans la colonne centrale. Celle de droite vous indique le nom de ces lettres tel que le prononcent les Russes.

А а	*А а*	a	Р р	*Р р*	èr
Б б	*Б б*	bè	С с	*С с*	èss
В в	*В в*	vè	Т т	*Т т*	tè
Г г	*Г г*	ghè	У у	*У у*	ou
Д д	*Д д*	dè	Ф ф	*Ф ф*	èf
Е е	*Е е*	yè	Х х	*Х х*	kha
Ё ё	*Ё ё*	yo	Ц ц	*Ц ц*	tsè
Ж ж	*Ж ж*	jè	Ч ч	*Ч ч*	tchya
З з	*З з*	zè	Ш ш	*Ш ш*	cha
И и	*И и*	i	Щ щ	*Щ щ*	chtchya
Й й	*Й й*	i **krat**koyè	Ъ ъ	*ъ*	**tvyor**duy znak (yèr)
К к	*К к*	ka			
Л л	*Л л*	èl	Ы ы	*ы*	u (yèru)
М м	*М м*	èm	Ь ь	*ь*	**myakh**kiy znak (yèr')
Н н	*Н н*	èn			
О о	*О о*	o	Э э	*Э э*	è abarotnayè
П п	*П п*	pè	Ю ю	*Ю ю*	you
			Я я	*Я я*	ya

Il est évident que ce tableau est insuffisant pour prononcer le russe. Nous vous y aidons en vous donnant tout au long de ce livre une prononciation simplifiée figurant en regard du texte russe.

Ce chapitre ainsi que le suivant sont destinés à vous familiariser avec notre système de transcription et à vous rendre plus aisée la prononciation du russe.

Le vocabulaire de base pour le voyage, comportant des mots et des expressions, a été réuni sous le titre «Quelques expressions courantes» (pages 17-21).

Brève explication des sons russes

La prononciation que nous vous indiquons doit être lue comme s'il s'agissait du français, à quelques exceptions près mentionnées ci-dessous. Les caractères gras indiquent les syllabes accentuées qu'il faut lire avec plus de force.

En russe, la prononciation des voyelles diffère considérablement suivant l'accent; nous vous donnons ici une transcription simplifiée. Les sons de deux langues ne correspondent jamais exactement, mais en suivant attentivement nos indications vous n'éprouverez aucune difficulté à vous faire comprendre.

Voyelles

Lettres	Prononciation approximative	Symbole	Exemples	
a	comme **a** dans l**a**me	a	**как**	kak
e	comme **iait** dans r**iait**	yè	**где**	gdyè
ë	comme **yo** dans **yo**ga	yo	**мёд**	myot
и	comme **i** dans **i**ci	i	**синий**	siniy
й	comme le premier son de **y**oga	y/ï	**красивый** **бой**	krassivuy boï
o	comme **o** dans b**o**nne, mais avec la langue plus bas dans la bouche	o	**стол**	stol
y	comme **ou** dans m**ou**	ou	**улица**	oulitsa

ы	à peu près comme u dans utile, mais les lèvres restent écartées (non arrondies)	u	вы	vu
э	comme è dans mère	è	эта	èta
ю	comme you dans Yougoslavie	you	юг	youk
я	comme ya dans yaourt	ya	мясо	myassa

Consonnes

En russe, certaines consonnes normalement sonores doivent être prononcées comme des sourdes lorsqu'elles sont placées à la fin d'un mot ou devant une autre consonne sourde; ainsi **b** devient **p** ou **d** devient **t**, etc.

б	comme b dans bateau ou comme p dans soupe	b p	был зуб	bul zoup
в	comme v dans voilà ou comme f dans nef	v f	ваш лев	vach lyèf
г	comme g dans gare ou comme k dans kopeck	g/gh k	город снег	gorat snyèk
д	comme d dans danser ou comme t dans but	d t	да запад	da zapat
ж	comme j dans jour ou comme ch dans niche	j ch	жаркий ложка	jarkiy lochka
з	comme z dans zéphir ou comme s dans bis	z s	за колхоз	za kalkhoss
к	comme k dans kilo	k	карта	karta
л	généralement très en arrière, comme dans le mot anglais well	l	лампа	lammpa
м	comme m dans matin	m	масло	masla
н	comme n dans nature	n	нет	nyèt
п	comme p dans père	p	парк	park
р	comme un r bourguignon (toujours roulé)	r	русский	rouskiy
с	toujours comme s dans salade	s/ss	слово спасибо	slova spassiba

т	comme **t** dans **t**apis	t	**там**	ta**mm**
ф	comme **f** dans **f**arce	f	**ферма**	f**yè**rma
х	tout au fond de la bouche comme le **r** dans **cr**ochet	kh	**хлеб**	**khl**yèp
ц	comme **ts** dans **ts**ar	ts	**цена**	**ts**ina
ч	comme **tch** dans **tch**èque, mais plus mouillé	tchy	**час**	**tchy**ass
ш	comme **ch** dans **ch**at	ch	**ваша**	va**ch**a
щ	comme **ch** immédiatement suivi de **tch** (ou souvent comme un double **ch** mouillé)	chtch (chch')	**щётка** **товарищ**	**chtch**yotka tavari**chch'**

Autres lettres

ь Cette lettre ne correspond pas à un son à part entière et ne fait que «mouiller» la consonne précédente. On arrive à un résultat analogue si on prononce un **y** très bref (comme dans **y**oga) immédiatement après la consonne. Dans notre transcription, nous indiquerons cette «mouillure» par une apostrophe (') placée après la consonne: par ex.: **писать** – pi**ss**at'.

ъ Ce signe se trouve parfois placé entre deux parties d'un mot composé, quand la deuxième partie commence par les lettres **я**, **ю** ou **e**, de façon à bien marquer, dans la prononciation, la limite entre les deux parties du mot.

Diphtongues

ай	comme **aille** dans vol**aille**	aï	**чай**	tch**aï**
яй	comme le son **aï**, mais précédé d'un **y**	yaï	**негодяй**	nyiga**dyaï**
ой	comme **oy** dans **oy**at	oï	**вой**	v**oï**
ей	comme **ieille** dans v**ieille**	yeï	**соловей**	salav**yeï**
ый	comme **uy** dans ess**uy**er, mais en gardant les lèvres écartées (non arrondies)	uy	**красивый**	krassiv**uy**

| уй | comme **ouille** dans **fouille** | ouy | дуй | douy |
| юй | comme le son **ouy**, mais précédé d'un **y** | youy | плюй | plyouy |

Remarque: Comme nous l'avons déjà mentionné, la prononciation des voyelles (et des diphtongues) dépend essentiellement de l'accent; toute voyelle d'un mot ne conserve sa valeur propre que si elle est accentuée. Ce phénomène est appelé parfois «réduction des voyelles».

Voici quelques exemples:

| о | non accentué, se pro-nonce comme un **a** bref | a | отец | atyèts |
| е, я, ей, ий | non accentués, se pro-noncent comme un **yi** bref ou un **i** | i, yi | теперь яровой | tyipyer' yiravoï |

Quelques expressions courantes

Oui.	Да.	da
Non.	Нет.	nyèt
S'il vous plaît.	Пожалуйста.	pajalousta
Merci.	Спасибо.	spassiba
Merci beaucoup.	Большое спасибо.	bal'choyè spassiba
Je vous en prie.	Не за что.	njè za chto

Salutations

Bonjour (le matin).	Доброе утро.	dobrayi outro
Bonjour.	Добрый день.	dobruy dyèn'
Bonsoir.	Добрый вечер.	dobruy vyètchyir
Bonne nuit.	Спокойной ночи.	spakoïnaï notchyi
Au revoir.	До свидания.	da svidaniya
A tout à l'heure.	До скорой встречи.	da skoraï fstryètchyi
Voici M. ...	Это господин...	èta gaspadinn
Voici Mme ...	Это госпожа...	èta gaspaja
Voici Mlle ...	Это госпожа...	èta gaspaja
Enchanté(e).	Очень приятно познакомиться.	otchyinn' priyatna paznakomitsa
Comment allez-vous ?	Как дела?	kak dyèla
Très bien, merci.	Спасибо, хорошо.	spassiba kharacho
Et vous ?	А у Вас?	a ou vass
Bien.	Прекрасно.	pryikrassna
Pardon.	Простите.	prastityi

La forme grammaticale peut varier en fonction de la personne qui parle. Tout au long de ce livre, nous avons utilisé la forme masculine sauf dans les cas où le féminin s'avérait plus approprié.

Questions

Où?	**Где?**	gdyè
Où se trouve...?	**Где...?**	gdyè
Où se trouvent...?	**I де...?**	gdyè
Quand?	**Когда?**	kag**da**
Quoi?	**Что?**	chto
Comment?	**Как?**	kak
Combien?	**Сколько?**	**skol**'ka
Qui?	**Кто?**	kto
Pourquoi?	**Почему?**	patchyi**mou**
Lequel?	**Какой?**	ka**koï**
Comment appelez-vous ceci?	**Как это называется?**	kak èta nazu**va**yitsa
Comment appelez-vous cela?	**Как это называется?**	kak èta nazu**va**yitsa
Que veut dire ceci?	**Что это значит?**	chto èta **zna**tchyit
Que veut dire cela?	**Что это значит?**	chto èta **zna**tchyit

Parlez-vous...

Parlez-vous anglais?	**Вы говорите по-английски?**	vu gava**ri**tyi pa-ann**gli**yski
Parlez-vous allemand?	**Вы говорите по-немецки?**	vu gava**ri**tyi pa-nyi**myèt**ski
Parlez-vous français?	**Вы говорите по-французски?**	vu gava**ri**tyi pa-frann**tsou**ski
Parlez-vous espagnol?	**Вы говорите по-испански?**	vu gava**ri**tyi pa-is**pann**ski
Parlez-vous italien?	**Вы говорите по-итальянски?**	vu gava**ri**tyi pa-ital'**yann**ski
Pourriez-vous parler plus lentement, s.v.p.?	**Пожалуйста, говорите медленнее.**	paja**lousta** gava**ri**tyi **myèd**lyinnyèyi

Montrez-moi la phrase dans le livre, s.v.p.	Покажите мне, пожалуйста, эту фразу в книге.	pakajutyi mnyè pajalousta ètou frazou f knighyè
Un instant. Je vais voir si je la trouve dans ce livre.	Сейчас. Я посмотрю, смогу ли я её найти в книжке.	sitchyass. ya pasmatryou smagou lyi ya yiyo naïti f knichkyi
Je comprends.	Я понимаю.	ya panyimayou
Je ne comprends pas.	Я не понимаю.	ya nyè panyimayou

Puis-je... ?

Puis-je avoir...?	Можно...?	mojna
Pouvons-nous avoir...?	Можно...?	mojna
Pouvez-vous m'indiquer...?	Вы мне можете показать...?	vu mnyè mojutyi pakazat'
Pouvez-vous me dire...?	Вы мне можете сказать...?	vu mnyè mojutyi skazat'
Pouvez-vous m'aider, s.v.p.	Будьте добры!	bout'yè dabru

Désirs

Je voudrais...	Я хотел бы...	ya khatyèl bu
Nous voudrions...	Мы хотели бы...	mu khatyèli bu
Donnez-moi, s.v.p....	Дайте мне, пожалуйста,...	daïtyi mnyè pajalousta
Donnez-le-moi, s.v.p.	Дайте мне это, пожалуйста.	daïtyi mnyè èta pajalousta
Apportez-moi, s.v.p....	Принесите мне, пожалуйста...	prinyissityi mnyè pajalousta
Apportez-le-moi, s.v.p.	Принесите мне это, пожалуйста.	prinyissityi mnyè èta pajalousta
J'ai faim.	Я голодна.	ya goladna
J'ai soif.	Мне хочется пить.	mnyè khotchyitsa pit'
Je suis fatigué.	Я устал.	ya oustal
Je me suis perdu.	Я заблудился.	ya zabloudilssa

C'est important.	Это важно.	èta **vajna**
C'est urgent.	Это срочно.	èta **srotch'na**
Dépêchez-vous!	Скорее!	**skaryèyi**

C'est/Il y a...

En russe, les mots «c'est/il y a» sont souvent omis. Par exemple, le mot холодно (**kho**ladna) suffit à exprimer l'idée de «c'est (il fait) froid».

C'est...	Это...	èta
Est-ce...?	Это...?	èta
Ce n'est pas...	Это не...	èta nyè
Il y a...	Есть...	yèst'
Y a-t-il...?	Есть ли...?	yèst' lyi
Il n'y a pas...	Нет...	nyèt
Il n'y en a pas.	Нет.	nyèt

Quelques mots courants

grand/petit	большой/маленький	bal'**choï**/malyinkiy
rapide/lent	быстро/медленно	bystra/**myèd**lyina
tôt/tard	рано/поздно	rana/**poz**na
bon marché/cher	дёшево/дорого	dyo**chy**iva/**do**raga
près/loin	близко/далеко	bliska/dalyiko
chaud/froid	горячо/холодно	garyit**chyo**/kholadna
plein/vide	полный/пустой	polnuy/poustoï
facile/difficile	легко/трудно	lyikh**ko**/troudna
lourd/léger	тяжёлый/лёгкий	tyijoluy/**lyokh**kiy
ouvert/fermé	открыто/закрыто	at**kru**ta/zakruta
juste/faux	верно/неверно	vyèrna/nyivyèrna
ancien/nouveau	старый/новый	staruy/novuy
vieux/jeune	старый/молодой	staruy/maladoï
beau/laid	красиво/некрасиво	krassiva/nyikrassiva
bon/mauvais	хорошо/плохо	kharacho/plokha
meilleur/pire	лучше/хуже	loutchyi/**khou**ju

Quelques prépositions et autres mots utiles

à	в	v
sur	на	na
dans	в	v
à/vers	к	k
de	от	ot
dedans	внутри	vnoutri
dehors	снаружи	snarouju
en haut	вверх	vvyèrkh
en bas	вниз	vniss
avant	до	do
après	после	poslyi
avec	с	s
sans	без	byèss
à travers	через	tchyèryiss
jusqu'à	до	do
vers	к	k
pendant	во время	va vryèmyi
et	и	i
ou	или	ili
ne... pas	не	nyè
rien	ничего	nitchyivo
aucun	ни один	nyi adyinn
très	очень	otchyinn'
aussi	тоже	toju
bientôt	скоро	skora
peut-être	может быть	mojut but'
ici	здесь	zdyèss'
là-bas	там	tamm
maintenant	теперь	tyipyèr'
alors	тогда	tagda

Arrivée

Vous voilà arrivé. Que vous soyez venu en bateau, en train ou en avion, vous devrez faire contrôler votre passeport et vous soumettre aux formalités douanières. (Pour le contrôle du véhicule à la frontière, voir page 145.)

Vous trouverez probablement sur place quelqu'un qui parle français. C'est pourquoi nous ne consacrons à ce sujet qu'un court chapitre. Ce que vous désirez, c'est retrouver sur le chemin de votre hôtel dans le plus bref délai. Voici comment faire pour vous en sortir rapidement.

Contrôle des passeports

Votre agence de voyages vous a aidé à vous procurer un visa. Il s'agit d'un petit livret, joint à votre passeport. Vous devrez présenter vos papiers au douanier (souvent un soldat) qui détachera la moitié de votre visa. En lui présentant votre passeport, vous souhaiterez peut-être ajouter:

S'il vous plaît.	Пожалуйста.	pajalousta
Je resterai...	Я пробуду здесь...	ja praboudou zdyèss'
quelques jours	несколько дней	nyèskal'ka dnyeï
une semaine	неделю	nyidyèlyou
deux semaines	две недели	dvyè nyidyèli
un mois	месяц	myèssits
Je ne sais pas encore.	Я ещё не знаю.	ja yichtch'yo nyi znayou
Je suis en transit.	Я только проездом.	ya tol'ka prayèzdamm

Si des difficultés surgissent:

Excusez-moi. Je ne comprends pas. Y a-t-il ici quelqu'un qui parle français?	Простите, я не понимаю. Говорит здесь кто-нибудь по-французски?	prastityi ya nyi panyimayou. gavarit zdyèss' ktonyibout' pa franntsouski

Douane

De manière générale, on peut importer en URSS tous les objets d'usage personnel.

Quand vous passerez la douane, ne manquez pas de déclarer vos devises étrangères et les valeurs (métaux précieux, pierres taillées ou brutes) que vous emportez. Ainsi, en quittant l'URSS, vous n'aurez aucune difficulté à exporter vos devises inutilisées, ainsi que les articles déclarés à l'entrée. L'importation de devises n'est pas réglementée, mais l'introduction de roubles en Union Soviétique ainsi que l'exportation de cette monnaie à l'étranger sont interdites.

Remarque: Lorsque vous changerez votre argent en roubles, n'oubliez pas de demander un reçu ou de faire annoter votre déclaration.

La liste ci-dessous énumère les articles que vous pouvez importer en franchise.*

Cigarettes	Cigares	Tabac	Alcool	Vin
250 ou	250 g. ou	250 g.	1	2

J'ai...	У меня...	ou myinya
une cartouche de cigarettes	блок сигарет	blok sigaryèt
une bouteille de vin	бутылка вина	boutulka vina
Puis-je importer ceci?	Можно это провезти?	mojna èta pravisti
Voici ma déclaration.	Вот моя декларация.	vot maya dyèklaratsuya
J'aimerais une déclaration en français.	Будьте добры, бланк декларации по-французски.	bouttyi dabru blannk dyiklaratsuyi pa franntsouski

* Les quantités peuvent changer sans préavis.

Вы должны заплатить пошлину.	Il y a des droits de douane sur cet article.
Платить можете там, в конторе.	Vous pouvez payer au guichet là-bas.
Есть ли у вас еще багаж?	Avez-vous d'autres bagages?

Bagages – Porteur

Votre agence de voyages a pensé à tout: sont inclus dans les prestations les services d'un porteur et la course en taxi jusqu'à votre hôtel. Muni de son bloc-notes, l'employé d'Intourist donnera toutes les indications utiles au porteur. Retenez cependant les phrases suivantes:

Porteur, s.v.p.!	Носильщик!	nassil'chtchyik
Prenez mes bagages, s.v.p.	Пожалуйста, возьмите мой багаж.	pajalousta vaz'mityi moï bagach
Je le/les prendrai moi-même.	Этот/эти я возьму сам.	èta/ètyi ya vaz'mou samm
Cette...	Этот...	ètat
grande/petite bleue/noire	большой/маленький синий/черный	bal'choï/malyèn'kiy siniy/tchyornuy
Il en manque une.	Одного места не хватает.	adnavo myèsta nyè khvatayit
Je ne trouve plus mon porteur.	Я не вижу моего носильщика.	ya nyè vijou mayivo nassil'chtchyika
Portez ces bagages...	Возьмите эти вещи и отнесите к...	vaz'mityi ètyi vyèchchyi i atnyissityi k
jusqu'au taxi/ à l'arrêt du bus/ à la consigne	такси/автобусу/ камере хранения	taksi/aftoboussou/ kamyèryè khranyèn'ya
Combien vous dois-je?	Сколько я Вам должен?	skol'ka ya vamm doljunn
Merci.	Спасибо.	spassiba

Change

La plupart des aéroports soviétiques ont un bureau de change. Si vous arrivez tard dans l'après-midi ou la soirée, démuni de bons de repas Intourist, vous serez bien inspiré de changer un peu d'argent avant de quitter l'aéroport.

Des indications plus détaillées sur la monnaie et le change vous sont données aux pages 134-136.

Pouvez-vous changer des chèques de voyage?	Можете ли вы разменять дорожные чеки?	mojutyi lyi vu razmyinyat' darojnuyè tchyèki
Je voudrais changer des...	Я хочу разменять...	ya khatchou razmyinyat'
francs belges	бельгийские франки	byèl'ghiyskiyè frannki
francs français	французские франки	franntsouskiyè frannki
francs suisses	швейцарские франки	chvèitsarskiyè frannki
Où se trouve le bureau de change le plus proche?	Где ближайший обмен денег?	gdyè blyijaïchuy abmyèn dyènyik
Quel est le cours du change?	Какой валютный курс?	kakoï valyoutnuy kourss

Directions

Comment va-t-on à...	Как мне добраться до...?	kak mnyè dabratsya da
Y a-t-il un bus pour le centre de la ville?	Идёт ли автобус в город?	idyot lyi aftobouss v gorat
Où puis-je trouver un taxi?	Где мне достать такси?	gdyè mnyè dastat' taksi
Où puis-je louer une voiture?	Где мне взять машину напрокат?	gdyè mnyè vzyat' machunou naprakat

Réservation d'hôtel

Vous aurez certainement fait réserver une chambre d'hôtel avant votre départ pour l'URSS. Un représentant d'Intourist vous accueillera cependant à l'arrivée, au sortir de la douane. C'est lui qui vous indiquera votre hôtel et vous confiera à votre chauffeur de taxi ou d'autobus.

POUR LES NOMBRES, voir page 175

ARRIVEE

Si personne n'est là pour vous recevoir, adressez-vous au bureau Intourist de l'aérogare.

Où se trouve le bureau d'Intourist?	**Где бюро Интуриста?**	gdyè byouro inntourista
Il me faut une chambre d'hôtel.	**Мне нужно место в гостинице.**	mnyè noujna myèsta v gastinitsu

Location de voitures

Encore une fois, il est préférable de louer une voiture à l'avance. Dans la plupart des aéroports ou aérogares, le bureau d'Intourist sera votre intermédiaire pour la location. Les frais de location sont payables en devises.

Vous trouverez probablement un employé parlant le français à l'agence de location Intourist. Sinon, ces quelques phrases vous aideront à vous faire comprendre:

Je voudrais louer...	**Я хотел бы взять напрокат...**	ja khatyèl bu vzyat' naprakat
une voiture	**машину**	machunou
une petite voiture	**маленькую машину**	mal'yinnkouyou machunou
une grande voiture	**большую машину**	bal'chouyou machunou
Je l'utiliserai...	**на...**	na
un jour/quatre jours	**день/четыре дня**	dyèn'/tchyturyi dnya
une semaine/deux semaines	**неделю/две недели**	nyidyèlyou/dvyè nyidyèlyi
Quel est le tarif par jour?	**Сколько это стоит в день?**	skol'ka èta stoit v dyèn'
Quel est le tarif par semaine?	**Сколько это стоит в неделю?**	skol'ka èta stoit v nyidyèlyou
Le kilométrage est-il compris?	**Включён ли в эту цену километраж?**	fklyoutchyonn lyi v ètou tsènou kilomyitraj
Est-ce que l'essence est comprise?	**Включён ли в эту цену бензин?**	fklyoutchyonn lyi v ètou tsènou byinnzinn
Est-ce que l'assurance est comprise?	**Включена ли в эту цену страховка?**	fklyoutchyina lyi v ètou tsènou strakhofka
A combien s'élève la caution?	**Какой залог?**	kakoï zalok

POUR LES VISITES TOURISTIQUES, voir page 75

ARRIVEE

Remarque: Pour circuler en Union Soviétique, les conducteurs étrangers doivent se munir soit d'un permis de conduire international, soit de leur permis national. Ce dernier doit être accompagné d'une traduction russe (vous pourrez vous procurer ce document à la douane, ou à défaut, à la première agence Intourist).

Taxi

L'URSS manque de taxis. Aussi, dès que vous en apercevrez un, hélez-le immédiatement, ou tentez votre chance aux stations les plus proches. Les taxis russes ont une bande quadrillée sur la porte, et une lumière verte sur le pare-brise. Ce signal lumineux indique que le taxi est libre.

Vous pouvez aussi en appeler un par téléphone; il est toutefois préférable de confier cette opération délicate à un Russe. Pensez à réserver votre taxi deux bonnes heures à l'avance.

Français	Russe	Prononciation
Où puis-je avoir un taxi?	Где можно найти такси?	gdyè **mojna** naï**tyi** taksi
Appelez-moi un taxi, s.v.p.	Найдите мне такси, пожалуйста.	naï**dyi**tyi mnyè tak**si** pajalousta
Quel est le tarif pour...?	Сколько стоит доехать до...?	**skol**'ka **sto**it da**yè**khat' da
Conduisez-moi...	Мне нужно...	mnyè **nou**jna
à cette adresse...	по этому адресу	po **è**tamou adryis**sou**
au centre de la ville	в центр города	f tsèntr **go**rada
à l'hôtel...	к гостинице...	k gas**ti**nitsè
Prenez la première rue à gauche (à droite).	Поверните налево (направо) за угол.	pavyir**nyi**tyi na**lyè**va (na**pra**va) za **ou**gal
Tout droit.	Прямо.	**prya**ma
Arrêtez-vous là, s.v.p.	Остановитесь здесь, пожалуйста.	astana**vi**tyiss' zdyèss' pajalousta
Je suis pressé.	Я спешу.	ya spyi**chou**
Je ne suis pas pressé.	Я не спешу.	ya nyi spyi**chou**

Hôtel – Logement

Votre chambre d'hôtel devra être retenue avant votre arrivée en Union Soviétique. En URSS il n'est pas concevable de rencontrer un touriste fraîchement débarqué partir à la recherche d'une chambre d'hôtel.

L'agence Intourist classe les hôtels russes en trois catégories :

de luxe appartement avec bain

première classe chambre à un ou deux lits avec bain

touriste chambre à deux ou trois lits sans bain

Dans les établissements «de luxe» ou de première classe, on vous fera peut-être un arrangement pour voyage d'affaires. Cette formule donne droit à un traitement de faveur et à quelques avantages, notamment à la mise à votre disposition d'une voiture.

Si vous avez programmé un voyage individuel, vous aurez de la peine à réserver une chambre en catégorie touriste, (celle-ci étant réservée aux voyageurs venus en groupe); et tout particulièrement en juillet et août, la veille d'un premier mai (Fête du Travail) et les 7 et 8 novembre (Commémoration de la Révolution d'Octobre), surtout à Moscou, Léningrad et Kiev.

Si vous êtes motorisé, vous pouvez toujours essayer le camping. Une autre solution avantageuse est de recourir au voyage d'étude : un forfait de quinze jours, à prix modéré, organisé dans différents pays par des associations de coopération avec l'Union Soviétique.

Ce chapitre est consacré aux différentes phases de votre séjour à l'hôtel – de l'arrivée au départ.

CAMPING, voir page 88

Formalités d'arrivée – Réception

Je m'appelle...	Меня зовут...	myinya zavout
J'ai réservé une chambre.	Я заказал заранее.	ya zakazal zaranyèyè
J'aimerais...	Я хотел бы...	ya khatyèl bu
une chambre pour une personne	одинарный номер	adyinarnuy nomyir
une chambre pour deux personnes	двойной номер	dvaïnoï nomyir
deux chambres à un lit	два одинарных номера	dva adyinarnukh nomyira
deux chambres, une à un lit, l'autre à deux lits.	номера, одинарный и двойной.	nomyira adyinarnuy i dvaïnoï
une chambre avec deux lits jumeaux	номер с двуспальной кроватью	nomyir s dvouspal'naï kravatyou
une chambre avec salle de bains	номер с ванной	nomyir s vannaï
une chambre avec douche	номер с душем	nomyir s douchèm
une chambre avec balcon	номер с балконом	nomyir s balkonamm
une chambre avec vue	номер с видом	nomyir s vyidamm
Nous voudrions une chambre...	Мы хотели бы номер...	mu khatyèli bu nomyir
sur la rue	на передней стороне	na pyiryèdnyeï staranyè
avec vue sur la mer	с окнами на море	s oknamyi na moryè
une chambre tranquille	номер нужен тихий	nomyir noujunn tyikhiy
J'aurais préféré un étage plus haut (plus bas).	Я хотел бы этажом повыше (пониже).	ya khatyèl bu ètajomm pavuchè (panijè)
Y a-t-il...?	Есть ли...?	yèst' lyi
l'air conditionné/ le chauffage	кондиционер/ отопление	kanndyitsyanyèr/ ataplyènyè
la radio/la télévision dans la chambre	радио/телевизор в номере	radyo/tyèlyèvizar v nomyiryè
l'eau chaude	горячая вода	garyatchyiya vada
des toilettes particulières	свой туалет	svoï toualyèt

HOTEL – LOGEMENT

Combien?

Quel est le prix...?	Сколько стоит номер...?	skol'ka stoyit nomyir
pour une semaine	в неделю	v nyidyèlyou
pour une nuit	в сутки	f soutki
pour la chambre et le petit déjeuner	с завтраком	s zaftrakamm
sans les repas	без питания	byèss pyitanya
de la pension complète	с полным содержанием	ss polnum sadyirjanyèm
Le prix comprend-il...?	Включён ли...	fklyoutchyonn lyi
le petit déjeuner	завтрак	zaftrak
les repas	питание	pyitanyè
le service	обслуживание	apsloujuvanyè
Y a-t-il une réduction pour les enfants?	Для детей нет скидки?	dlya dyityei nyèt skitki
Faut-il payer pour le bébé?	За ребёнка платить особо?	za ryibyonnka platyit' assoba
C'est trop cher.	Это слишком дорого.	èta slichkamm doraga
N'avez-vous rien de meilleur marché?	Есть ли у вас что-нибудь подешевле?	yèst' lyi ou vass chtonyibout' padyichèvlyi

Combien de temps?

Nous resterons...	Мы пробудем здесь...	mu praboudyimm zdyèss'
une nuit seulement	только сутки	tol'ka soutki
quelques jours	несколько дней	nyèskal'ka dnyei
une semaine (au moins)	неделю (по крайней мере)	nyidyèlyou (pa kraïnyei myèryè)
Je ne sais pas encore.	Я ещё не знаю.	ya yichtch'yo nyi znayou

POUR LES NOMBRES, voir page 175

Décision

Puis-je voir la chambre?	Можно посмотреть номер?	mojna pasmatryèt' nomyir
Non. Elle ne me plaît pas.	Нет, мне не нравится.	nyèt mnyè nyi nravitsya
Elle est trop...	Здесь слишком...	zdyèss' slichkamm
froide/chaude	холодно/жарко	kholadna/jarka
sombre/petite	темно/тесно	tyimno/tyèsna
bruyante	шумно	choumna
Non, celle-là ne me plaît pas du tout.	Нет, это никак не подходит.	nyèt èta nyikak nyi patkhodyit
J'avais demandé une chambre avec salle de bains.	Я просил номер с ванной.	ya prassil nomyir z vannaï
Avez-vous quelque chose...?	Есть ли у вас что-нибудь...?	yèst' lyi ou vass chto-nyibout'
de mieux/de plus grand/de meilleur marché/de plus petit	получше/побольше подешевле/поменьше	paloutchchè/pabol'chè padyichèvlyi/pamyèn'chè
Avez-vous une chambre avec une plus belle vue?	Есть ли у вас номер с лучшим видом?	yèst' lyi ou vass nomyir z loutchchum vidamm
D'accord. Je la prends.	Хорошо. Это подойдёт.	kharacho. èta padaïdyot

Pourboires

Le service est en général inclus dans la note. Mais si les pourboires sont officiellement désapprouvés en URSS, il n'est pas interdit au touriste étranger de rétribuer un service agréable par un petit extra sur la table. Les femmes de chambre n'attendent pas de pourboire, mais elles seront ravies de recevoir du chocolat, des cigarettes ou des bas nylon.

Formalités d'arrivée

En arrivant à l'hôtel, on vous demandera de remplir une fiche (регистрационный лист — ryègistra**tsyon**nuy list) où vous indiquerez votre nom, votre adresse permanente, le numéro de votre passeport et votre destination ultérieure. Le formulaire d'inscription sera probablement traduit en français. Si ce n'est pas le cas, demandez à l'employé de la réception:

Que signifie ceci?	**Что это значит?**	chto èta znatchyit

On vous réclamera votre passeport. Le préposé aux formalités le gardera jusqu'au lendemain. Ne vous inquiétez pas, il vous sera rendu. Enfin, on vous dira peut-être:

Ваш паспорт, пожалуйста.	Votre passeport, s.v.p.
Будьте добры заполнить регистрационный лист.	Voudriez-vous remplir cette fiche?
Подпишитесь тут, пожалуйста.	Signez ici, s'il vous plaît.
Как долго вы здесь пробудете?	Combien de temps resterez-vous?

Quel est le numéro de ma chambre?	**Какой мой номер?**	kakoï moï **no**myir
Pouvez-vous faire monter mes bagages?	**Отправьте, пожалуйста, наш багаж в номер.**	atpra**f**tyi pajalousta nach ba**gach** v **no**myir
Je prendrai cette serviette avec moi.	**Этот портфель я возьму с собой.**	ètat part**fèl'** ya vaz'**mou** s sa**boï**

Remarque: Vous n'aurez pas de clef, mais un papier portant le numéro de votre chambre. Vous le remettrez à l'employée d'étage, «gardienne» des clefs.

Garçon, s.v.p.

Maintenant que vous êtes confortablement installé, nous vous présentons le personnel de l'hôtel :

la femme de chambre	горничная	gornyitchnaya
le gérant	администратор	admyinyistratar
la responsable d'étage	дежурная	dyijournaya
la standardiste	телефонистка	tyilyifanyistka

En vous adressant aux membres du personnel, utilisez une phrase d'introduction telle que :

Excusez-moi. Pouvez-vous... s.v.p.?	Извините, нельзя ли... ?	izvinyityè nyil'zya lyi

Menus services

Veuillez demander à la femme de chambre de monter.	Пришлите, пожалуйста, горничную.	prichlityi pajalousta gornyitchnouyou
Qui est-ce?	Кто там?	kto tamm
Entrez!	Войдите!	vaïdyityi
Y a-t-il une salle de bains à cet étage?	Есть ли на этаже ванная комната?	yèst' lyi na ètajè vannaïa komnata
Où est la prise pour le rasoir?	Где розетка для бритвы?	gdye razyètka dlya britvu
Quel est le voltage?	Какое здесь напряжение?	kakoyè zdyèss' na-pryajènyè
Faites-moi/nous apporter...	Пришлите, пожалуйста...	prichlityi pajalousta
deux cafés	две чашки кофе	dvyè tchachki kofyè
deux vodkas et de l'eau minérale	две рюмки водки и минеральную воду	dvyè ryoumki votki i minyiralnouyou vodou
Pouvons-nous prendre le petit déjeuner dans la chambre?	Можно получить завтрак в номер?	mojna paloutchyit' zaftrak v nomyir
J'aimerais déposer ceci dans votre coffre-fort.	Я хотел бы оставить это у вас в сейфе.	ya khatyèl bu astavit' èta ou vass f syeïfyi

Puis-je avoir...?	Принесите мне, пожалуйста...	pryinyissityi mnyè pajalousta
aiguille et fil	иголку с ниткой	igolkou z nyitkai
bouillotte	грелку	gryèlkou
cendrier	пепельницу	pyèpyil'nyitsou
couverture supplémentaire	ещё одно одеяло	yichtch'yo adno adyiyala
enveloppes	конверты	kannvyèrtu
glace	льда	l'da
lampe de chevet	настольную лампу	nastol'nouyou lamppou
oreiller supplémentaire	ещё одну подушку	yichch'yo adnou padouchkou
papier à lettres	бумагу для писем	boumagou dlya pyissyimm
savon	мыло	mula
serviette de bain	банное полотенце	bannayè palatyènntsè
Où est/sont...?	Где...?	gdyè
restaurant	ресторан	ryistarann
salle de bains	ванная	vannaya
salle à manger	столовая	stalovaya
salle de télévision	телевизор	tyèlyèvizar
bar	бар	bar
salon de beauté	косметический кабинет	kass'myityitchyiskiy kabyinyèt
salon de coiffure	парикмахерская	parikmakhèrskaya
toilettes	туалет	toualyèt

ЗВОНОК
SONNEZ POUR LE SERVICE

Petit déjeuner

Outre le thé et le café traditionnels, accompagnés de pain, de beurre et de confiture, un Russe mange volontiers des œufs au jambon, du fromage, des céréales, des saucisses ou de la viande froide. Un verre de vodka peut accompagner ce festin. En Union Soviétique, vous pourrez donc, dès le matin, tailler votre petit déjeuner à la mesure de votre appétit!

Je prendrai...	Дайте мне, пожалуйста...	daïtyi mnyè pajalousta
céréales chaudes	каши	kachu
foie	печень	pyètchyin´
jus de fruit	фруктовый сок	frouktovuy sok
ananas	ананасный	ananasnuy
orange	апельсиновый	apyil´sinavuy
pamplemousse	грейпфрутовый	greipfroutavuy
tomate	томатный	tamatnuy
œufs	яйца	yaïtsa
œufs brouillés	яйца всмятку	yaïtsa f smyatkou
œufs à la coque	варёные яйца	varyonuyè yaïtsa
mollet/moyen/dur	всмятку/в мешо-чек/крутые	vzmyatkou/v micho-tchyik/kroutuyè
œufs au jambon	яичницу с ветчиной	yiichnyitsou s vitchinoï
œufs au plat	яичницу	yiichnyitsou
omelette	омлет	amlyèt
rognons	почек	potchyèk
saucisses	сосиски	sassiski
Pourrais-je avoir...?	Дайте мне, пожалуйста...	daïtyi mnyè pajalousta
plus de beurre	ещё масла	jichtch´yo masla
cacao	какао	kakao
café/thé	кофе/чаю	kofyè/tchayou
citron/miel	лимон/мёд	limonn/myot
crème/sucre	сливки/сахар	slyifki/sakhar
lait chaud/ froid	теплого/холодного молока	tyoplavá/khalodnava malaka
sel/poivre	соль/перец	sol´/pyèrèts
Pourriez-vous m´apporter...?	Принесите мне, пожалуйста...	pryinyissityi mnyè pajalousta
assiette	тарелку	taryèlkou
couteau	нож	noj
cuiller	ложку	lojkou
fourchette	вилку	vilkou
tasse	чашку	tchyachkou
verre	стакан	stakann

Remarque: Quantité d'autres plats vous sont suggérés à la rubrique «Restaurants» (pages 38-64). Consultez-la pour les menus du déjeuner et du dîner.

Difficultés

Le/La/Les... ne fonctionne(nt) pas.	...не действует.	... nyi dyèystvouyèt
chauffage	отопление	ataplyènyè
climatisation	кондиционер	kanndyitsyanyèr
robinet	водопроводный кран	vadapravodnuy krann
système d'aération	вентилятор	vyinntyilyatar
toilettes	туалет	toualyèt
La lumière ne fonctionne pas.	Не горит свет.	nyi garit svyèt
Le lavabo est bouché.	Раковина засорена.	rakavina zassarina
La fenêtre est bloquée.	Окно испорчено.	akno issportchyina
Le store est coincé.	Шторы не ходят.	chtoru nyi khodyat
Ce n'est pas mon linge.	Это не моё бельё.	èta nyi mayo byil'o
Il n'y a pas d'eau chaude.	Нет горячей воды.	njètou garyatchyei vadu
J'ai perdu ma montre.	Я потерял часы.	ya patyiryal tchyissu
J'ai oublié ma clé dans ma chambre.	Я забыл ключ в номере.	ya zabul klyoutch' v nomyiryi
Le/La/L'... est cassé(e).	...сломана/сломано.	... slomana/slomano
interrupteur	выключатель	vuklyoutchyatyèl'
lampe	лампа	lammpa
prise	штепсель	chtyèpssèl'
store	шторы	chtoru
volet	жалюзи	jalyouzu
L'ampoule a sauté.	Лампочка перегорела.	lammpatch'ka pyiryigaryèla

Téléphone – Courrier – Visiteurs

J'aimerais une communication locale.	Город, пожалуйста.	gorat pajalousta
Passez-moi le 123-45-67 à Moscou s.v.p.	Соедините меня, пожалуйста, с Москвой, номер 123-45-67.	sayèdyinyityè myinya pajalousta s maskvoï nomyir 123-45-67

POUR LA POSTE, voir page 137

Est-ce qu'on m'a demandé au téléphone?	Никто мне не звонил?	nyikto mnyè nyi zvanyil
Est-ce qu'il y a du courrier pour moi?	Для меня писем нет?	dlya myinya pissimm nyèt
Avez-vous des timbres?	Есть ли у вас почтовые марки?	yèst' lyi ou vass patchtovuyè marki
Pourriez-vous poster ceci, s.v.p.?	Отправьте, пожалуйста.	atpraftyè pajalousta

Départ

Je pars demain de bonne heure.	Я уезжаю завтра рано утром.	ya ouyijjayou zaftra rana outramm
Je dois partir immédiatement.	Я должен немедленно уехать.	ya doljunn nyimyè-dlyinna ouyèkhat'
Pouvez-vous nous appeler un taxi, à...?	Закажите мне, пожалуйста, такси к ...?	zakajutyi mnyè pajalousta taksi k
Quand part le prochain...?	В котором часу отходит следующий...?	f katoramm tchyissou atkhodyit slyèdouyou-chtchiy
bus	автобус	aftobouss
train	поезд	poïst
avion	самолёт (отлетает)	samalyot (atlyitayèt)
Pourriez-vous faire descendre nos bagages?	Пришлите, пожалуйста, снести мои чемоданы.	pryichlyityi pajalousta snyisti mayi tchimadanu
Faites-moi savoir quand arrivera le taxi, s.v.p.	Дайте мне знать, пожалуйста, когда подъедет такси.	daïtyi mnyè znat' pajalousta kagda padyèdyit taksi
Est-ce notre taxi?	Это наше такси?	èta nachè taksi
Voici ma prochaine adresse. Vous avez déjà mon adresse habituelle.	Вот мой следующий адрес. Мой домашний адрес у вас уже есть.	vot moï slyèdouyouchtchiy adryiss. moï damachnyiy adryiss ou vass oujè yèst'
Le séjour a été très agréable.	Всё было очень приятно.	fsyo bula otchyèn' pryiyatna
J'espère que nous reviendrons un jour.	Может быть, мы приедем ещё.	mojèt but' mu priyèdyèm yichtch'yo
Au revoir.	До свидания.	da svidanya

POUR LE TAXI, voir page 27

Restaurants

En Union Soviétique, il existe plusieurs types de restaurants et de bars. La plupart du temps la carte se trouve affichée dans la vitrine ou à l'entrée.

Бар (bar)	Bar. Beaucoup d'hôtels dans les grandes villes disposent d'un bar où l'on sert des boissons avec du caviar et du crabe (vous devez généralement payer en devises). Ces établissements ferment habituellement vers 2 ou 3 heures du matin.
Буфет (boufyèt)	Snack bar que l'on trouve dans chaque hôtel; souvent situé à l'étage supérieur.
Диетическая столовая (dyètyitchyèss-kaya stalovaya)	Restaurant diététique. Repas biologiques bon marché.
Кафе (kafè)	Café. Malgré leur nom, les cafés russes ressemblent plutôt à nos restaurants. Ils sont très répandus et on y sert des repas et des boissons jusqu'à 21 h.; quelques-uns ne ferment qu'à 23 h.
Кафе-мороженое (kafè marojènayè)	Café où, dans un cadre élégant, l'on sert des glaces et des boissons (surtout du champagne et des cocktails).
Пельменная (pyil'myènnaya)	Petits restaurants où l'on mange des oreillettes farcies de viande et quelques autres plats.
Пивной бар (pivnoï bar)	Bar où l'on sert de la bière, souvent accompagnée de crevettes et d'amuse-gueule de toutes sortes.
Пирожковая (pirachkovaya)	Etablissement spécialisé en *pirojok*, petits pâtés savoureusement farcis.

RESTAURANT

Ресторан
(ryistarann)

Les Russes ont emprunté à notre langue le mot restaurant. Mais la plupart du temps, il s'agit plutôt d'un restaurant dancing.

Entre deux services, les Russes aiment boire un ou deux verres de vodka en riant de la dernière plaisanterie, puis danser quelques instants. Avant de partir pour l'URSS, quand vous établirez votre programme, ne payez d'avance que le petit-déjeuner! Ainsi, à midi et le soir, vous pourrez manger dans les restaurants mentionnés plus haut. Ces établissements n'acceptent pas les bons d'Intourist. Tous les restaurants d'hôtel reconnus par Intourist, par contre, acceptent ces bons. Il en va de même pour les établissements les plus connus. Parmi ceux-ci, citons le *Slavianski Bazar* et le *Baku* (connu pour sa cuisine d'Azerbaïdjan). Il est plus prudent de réserver à l'avance La fermeture a habituellement lieu à minuit.

Столовая
(stalovaya)

C'est là qu'l'homme de la rue prend ses repas; on vous y sert rapidement et à bon marché.

Шашлычная
(chachlutch'naya)

Ce sont des cafés toujours bondés où l'on vous servira du *schaschlik* et d'autres spécialités caucasiennes et d'Asie centrale.

Heures des repas

Déjeuner (Обед – **abyèt**): est servi de midi à 16 h. dans la plupart des restaurants. Ceux-ci ferment à 17 h. et rouvrent à 19 h.

Dîner (Ужин – **oujunn**): est servi de 19 h. à 22 h. ou à 22 h. 30. Après cette heure, on ne sert plus que des assiettes froides.

POUR LES HEURES, voir page 178

Usages de la table

Bien que la situation évolue très rapidement, un voyage en Union Soviétique reste pourtant un véritable dépaysement. Une fois la frontière franchie, tout en URSS vous paraît étrange, curieux et bien différent. Cela s'avère particulièrement vrai en ce qui concerne les usages de la table. Première surprise: on vous présente un menu rédigé en caractères cyrilliques. Autre curiosité: le буфет (bou**fyèt,** littéralement: buffet), où les mets sont débités au gramme et les boissons au litre. Chez eux, les Russes prennent un copieux petit déjeuner composé de porridge généreusement garni de beurre, sinon ils prendront des saucisses de Francfort et des tomates, ou encore du pain noir et du lait. Les Russes ont la surprenante habitude d'arroser pratiquement tous leurs mets d'une cuillère de crème aigre.

Même si, de prime abord, les menus russes vous déconcertent, vous n'aurez aucune peine à vous y adapter. Vous pouvez tranquillement goûter aux différents plats sans crainte d'être malade. Si vous vous rendez en Asie centrale, surveillez néanmoins l'eau que vous buvez et lavez bien fruits et légumes.

A table, que ce soit chez eux ou au restaurant, les Russes ne s'encombrent pas de «bonnes manières». Le soir, au restaurant, l'ambiance est le plus souvent chaude et bruyante: la vodka coule à flots, on parle haut et fort, on rit à gorge déployée, et il n'est pas rare qu'on entonne un de ces chants qui font le charme du folklore slave.

Si vous voulez connaître la véritable nature du Russe, il faut absolument que vous fassiez un saut au café du coin.

Et si l'ambiance des restaurants occidentaux vous manquent vraiment trop, fréquentez, à Moscou, les cafés modernes de l'avenue Kalinin.

En dînant avec des amis russes, il est d'usage de leur souhaiter приятного аппетита (pri**yat**nava apyit**yi**ta: bon appétit!).

Avez-vous faim?

J'ai faim/ j'ai soif.	Я голоден/ Я хочу пить.	ya **go**ladyinn/ ya kha**tchyou** pit'
Pouvez-vous me recommander un bon restaurant?	Не можете ли порекомендовать, хороший ресторан?	nyi **mo**jutyi lyi pa- ryikamyinn**da**vat' kharochuy ryista**rann**

Si vous désirez manger dans un restaurant réputé, il est préférable de réserver votre place par téléphone.

Demandes et commandes

Dans les restaurants, on ne mange qu'à la carte. N'oubliez pas que le pourboire est toujours compris, mais vous pouvez laisser quelques kopecks pour le garçon si le repas et le service vous ont plu.

Bonsoir. J'aimerais une table pour ... personnes.	Добрый вечер. Я хо- тел бы столик на...	**do**bruy vyè**tchyir.** ya kha**tyèl** bu **sto**lyik na
Pouvons-nous avoir...	Пожалуйста...	paja**lous**ta
une table dans un coin	столик в углу	**sto**lyik v ou**glou**
une table près de la fenêtre	столик у окна	**sto**lyik ou ak**na**
une table dehors	столик снаружи	**sto**lyik sna**rou**ji
une table tranquille	столик в тихом месте	**sto**lyik f **tyi**khamm **myès**tyi
Où sont les toilettes?	Где туалет?	gdyè toua**lyèt**
Est-ce que nous pourrions avoir...?	Принесите нам, пожалуйста...	prinyi**ssi**tyi namm paja**lous**ta
une assiette	тарелку	ta**ryèl**kou
une bouteille de...	бутылку...	bou**til**kou
un cendrier	пепельницу	**pyè**pyil'nyitsou
encore une chaise	ещё один стул	yi**chtch'yo** a**dyinn** stoul
un couteau	нож	nojcj
une cuiller	ложку	**loj**kou
un cure-dent	зубочистку	zouba**tchist**kou
une nappe	скатерть	**ska**tyèrt'
une serviette	салфетку	sal**fyèt**kou
un verre	стакан	sta**kann**
un verre d'eau	стакан воды	sta**kann** vadu

POUR LES RECLAMATIONS, voir page 56

RESTAURANT

Je voudrais...	Принесите, пожа- луйста...	prinyissityi pajalousta
des amuse-gueule	закуску	zakouskou
du beurre	масла	masla
une bière	пива	piva
un café	кофе	kofyè
du chou	капусты	kapoustu
du citron	лимон	limonn
un dessert	третье/десерт	tryèt'yè/dyèssyèrt
de l'eau	воды	vadu
de l'eau minérale	минеральной воды	minyiral'naï vadu
du fromage	сыру	surou
des fruits	фруктов	frouktaf
du gibier	дичи	dyìtchi
de la glace	мороженого	marojunava
de l'huile	растительного масла	rastyityil'nava masla
de l'huile d'olive	прованского масла	pravannskava masla
du lait	молока	malaka
des légumes	овощей	avachtchyeï
de la moutarde	горчицы	gartchyitsu
du pain	хлеба	khlyèba
des petits pains	булочек	boulatchyèk
du poisson	рыбу	rubou
du poivre	перцу	pyèrtsou
des pommes de terre	картошки	kartochki
des pommes frites	жареной картошки	zaryinaï kartochki
un potage	супу	soupou
du riz	рису	rissou
de la salade	салат	salat
un sandwich	бутерброд	boutirbrot
un snack	лёгкую закуску	lyokhkouyou zakouskou
du sel	соли	solyi
du sucre	сахару	sakharou
du thé	чаю	tchyayou
de la viande	мясо	myassa
du vin	вина	vina
du vinaigre	уксусу	ouksoussou
de la volaille	птицу	ptyitsou

Qu'y a-t-il au menu?

Nous avons établi notre carte des mets selon l'ordre habituel d'un repas. Sous chaque titre, vous trouverez une liste alphabétique des plats, en russe, avec leurs équivalents en français. Cette liste – comprenant les plats habituels et les spécialités – vous aidera à tirer le meilleur parti d'une carte russe.

Voici notre guide gastronomique. Passez directement aux plats par lesquels vous voulez commencer.

Vous ne parcourrez certainement pas toutes les étapes du menu. Lorsque vous en aurez assez, dites:

Ce sera tout, merci.	**Больше ничего, спасибо.**	bol'chè nyitchyivo spassiba

Ne soyez pas surpris si, dans les restaurants soviétiques, le service ne brille pas par sa rapidité. Il faut parfois attendre près de deux heures avant d'obtenir ce que l'on a commandé. N'oubliez pas que lorsque les Russes vont au restaurant, surtout dans un restaurant-dancing, c'est avec l'intention d'y passer la soirée. Si vous êtes vraiment très pressé, vous pouvez toujours essayer de glisser discrètement un rouble au garçon et vous verrez probablement le service s'activer.

RESTAURANT

Hors-d'œuvre – Entrées

Dans un restaurant soviétique, le consommateur étranger est tenté de croire que les закуски (zakouski – hors-d'œuvre) constituent le plat principal. Lorsque le premier plateau vous est présenté modérez votre appétit car d'autres plats suivront.

ветчина	vitchyina	jambon
винегрет	vinyigryèt	salade russe
грибы	gribu	champignons
колбаса	kalbassa	charcuterie
копчёная колбаса	kaptchyonaya kalbassa	charcuterie fumée
креветки	krivyètki	crevettes
мясная закуска	myassaya zakouska	viande froide
осетрина	assyitrina	esturgeon
редиска	ridyiska	radis
рыбная закуска	rubnaya zakouska	hors-d'œuvre de poissons
салат из крабов	salat is krabaf	salade de crabes
салат из огурцов	salat is agourtsof	salade de concombres
салат из помидоров	salat is pamidoraf	salade de tomates
сардины	sardyinu	sardines
сельдь	syèl't'	hareng
студень	stoudyinn'	galantine de porc
яйца	yaïtsa	œufs
яйца под майонезом	yaïtsa pad mayanyèzamm	œufs à la mayonnaise

RESTAURANT

Spécialités russes

Le caviar (икра – ikra), article de luxe dans la plupart des pays, n'est, de nos jours, même pas à la portée du Russe moyen. Mais vous en trouverez sur les cartes des restaurants s'adressant à une clientèle internationale.

Le caviar rouge (красная икра – krasnaya ikra) – à peu près de la grandeur de la chevrotine – est composé d'œufs de saumon. Il est assez salé et meilleur marché que le caviar noir qui lui provient de l'esturgeon. Le caviar est souvent servi en sandwich (бутерброды – boutyirbrodu) ou avec des crêpes (блины – blyinu), plus petites et plus épaisses que les nôtres et à base de levure.

Autres hors-d'œuvre typiquement russes:

Блины со сметаной	blyinu sa smitanaï	Crêpes russes fourrées à la crème aigre et cuites au four
Грибы в сметане	gribu f smyitanyi	Champignons frits aux oignons et servis avec de la crème aigre
Заливная осетрина с хреном	zalyivnaya assyitrina s khryènamm	Esturgeon en gelée avec raifort
Икра из баклажанов	ikra iz baklajanaf	«Caviar d'aubergines»; purée d'aubergines, oignons, tomates
Маринованные грибы	marinovynuyè gribu	Champignons au vinaigre
Осетрина с гарниром	assyitrina s garnyiramm	Esturgeon avec légumes
Сельдь с луком	syèl't' s loukamm	Harengs aux oignons
Тресковая печень в масле	tryèskovaïa pyètchyèn' v maslyè	Foie de morue à l'huile

En URSS, les salades et les plats aux œufs sont des hors-d'œuvre. Et si l'on peut commencer un repas par du fromage, il n'est pas d'usage d'en manger après le plat principal.

Hors-d'œuvre à base de salade

Винегрет (vinyigryèt)	Salade russe, composée de carottes coupées en dés, de betteraves, de pommes de terre, le tout assaisonné d'huile et de vinaigre
Салат из редиса (salat iz ridyissa)	Radis finement coupés avec crème aigre et sel
Салат из свежей капусты (salat iz swyèjeï kapoustu)	Chou frais, petits oignons et pommes, assaisonnés de sucre et d'huile végétale
Салат московский/ столичный (salat maskofskiy/ stalitch'nuy)	Salade avec viande de bœuf, pommes de terre, œufs, carottes, pommes, mayonnaise et crème aigre

Hors-d'œuvre à base d'œufs

Крутые яйца с хреном (kroutui yaïtsa s khryènamm)	Œufs durs avec raifort, mayonnaise et crème aigre
Яйца с икрой (yaïtsa s ikroï)	Œufs durs, farcis au caviar et servis avec de la laitue

Fromages et autres produits laitiers

Comme nous l'avons déjà dit, le fromage se mange généralement en hors-d'œuvre, au petit déjeuner ou comme en-cas. Le голландский сыр (galannskiy sur – sorte de fromage hollandais) en est une variété très répandue, un bon guide de gastronomie devra aussi vous initier aux spécialités que voici:

блинчики с творогом (blyinntchyiki s tvoragamm)	Crêpes fourrées au fromage blanc
вареники с творогом (voryènyiki s tvoragamm)	Oreillettes à l'ukrainienne, farcies au séré
кефир (kyèfyir)	Lait caillé
ряженка (ryajunka)	Lait caillé au gratin, servi froid
сливки (slyifki)	Crème
сметана (smitana)	Crème aigre; fait partie intégrante de la cuisine russe. Est utilisée dans les potages, les salades, les plats de légumes et de viandes ainsi que les desserts
сырники со сметаной (surnyiki sa smyitanaï)	Beignets au fromage, accompagnés de crème aigre
творог (tvorak)	Séré. Très populaire; est à la base de nombreux plats
топлёное молоко (taplyonayè malako)	Lait cuit au four, servi froid

Potages

De tous les potages russes, vous ne connaissez peut-être que le plus célèbre, le *bortsch*. On croit généralement qu'il s'agit d'une soupe froide, de couleur rouge, toujours arrosée de crème aigre. En fait, il existe plusieurs versions du *bortsch*, qui peut, à lui seul, être un repas complet. «Bortsch» vient du vieux mot slave désignant les betteraves, et en effet, cette soupe est souvent rouge. En général elle est servie chaude et contient du chou, du bœuf et du porc.

Potages chauds

борщ московский	borchtch' maskofskiy	bœuf, légumes, purée de tomates et lard
борщ флотский	borchtch' flotskiy	lard ou jambon à l'os, légumes, purée de tomates
бульон куриный с гренками	boulyonn kouryinuy s gryènkami	bouillon de poulet aux croûtons
бульон с пирожком	boulyonn s pirachkomm	bouillon de poulet avec petites crêpes
рассольник	rassol'nyik	potage aux rognons et aux concombres
солянка мясная сборная	salyannka myassnaya sbornaya	potage à la viande
солянка рыбная	salyannka rubnaya	soupe de poissons
суп-лапша с курицей	soup lapcha s kouritsei	bouillon de poule aux nouilles
уха	oukha	consommé de poisson
щи	chtchyi	choux et légumes
щи зелёные с яйцом	chtchyi zilyonuyè s yitsomm	potage à l'oseille avec œuf
щи суточные	chtchyi soutatch'nuyè	potage à la choucroute

Potages froids

ботвинья с осетриной	botvinya s assyitrinai	potage à l'esturgeon, préparé avec du kvass et des feuilles de betteraves
окрошка мясная сборная	akrochka myissnaya sbornaya	potage de kvass avec viandes assorties
свекольник	svyikol'nyik	potage de betteraves

Potages à l'orientale

пити	pityi	potage de mouton, préparé tradition-nellement dans de petites soupières individuelles
суп харчо	soup khartcho	potage de mouton au riz
шурпа	chourpa	potage de mouton au lard et aux tomates

Poissons et fruits de mer

Avec ses milliers de kilomètres de côtes, bordant les Océans Atlantique et Pacifique, la mer Noire et la Baltique, l'Union-Soviétique est l'une des nations-pilotes de la pêche mondiale. Après le caviar, le visiteur étranger appréciera sans doute le saumon russe, un plat d'esturgeon ou de carpe. Il risque en revanche, de ne pas trouver au menu des crustacés de consommation courante dans son pays, tels que homard ou huîtres.

J'aimerais du poisson.	**Я бы взял рыбы.**	ya bu vzyal rubu
камбала	kammbala	flet
карп	karp	carpe
кета	kita	saumon sibérien
краб	krap	crabe
лещ	lyèchtch'	dorade
макрель	makryèl'	maquereau
минога	minoga	lamproie
окунь	okounn'	perche
осётр	assyotr	esturgeon
палтус	paltouss	flétan
раки	raki	écrevisses
сельдь	syèl't'	hareng
сёмга	syommga	saumon
сом	somm	poisson-chat
судак	soudak	sandre
треска	tryiska	cabillaud
тунец	tounyèts	thon
угорь	ougor'	anguille
устрицы	oustryitsu	huîtres
форель	faryèl'	truite
шпроты	chprotu	sprats (à l'huile)
щука	chtchyouka	brochet

La cuisine russe apprête le poisson de multiples façons. En
voici quelques-unes :

cru	сырой	suroï
cuit à la vapeur	паровой	paravoï
cuit au four	печёный	pyitchyonuy
étuvé	тушёный	touchonuy
frit	жареный	jaryinuy
frit à point	сильно прожаренный	sil'na prajaryinuy
fumé	копчёный	kaptchyonuy
grillé	жареный на рашпере (вертеле)	jaryinuy na rachpyiryè (vyèrtyilyè)
mariné	маринованный	marinovanuy
poché	отварной	atvarnoï

Spécialités de poisson

осетрина под маринадом	assyitrina pad marinadamm	esturgeon en saumure
осетрина в томате	assyitrina f tamatyi	esturgeon à la tomate
осетрина на вертеле	assyitrina na vyèrtyilyè	esturgeon grillé à la broche
осетрина по-русски	assyitrina pa rouski	esturgeon poché avec sauce tomate et légumes
осетрина паровая	assyitrina paravaya	esturgeon cuit à la vapeur et servi avec une sauce légère
осетрина «фри»	assyitrina fri	esturgeon frit
палтус жареный	paltouss jaryinuy	flétan frit
рыбные котлеты	rubnuyè katlyètu	croquettes de poisson
стерлядь паровая	styèrlyat' paravaya	sterlet cuit à la vapeur
судак в томатном соусе	soudak f tamatnamm sooussyè	sandre sautée avec sauce tomate
судак отварной, соус яичный	soudak atvarnoï sous yaïchnuy	sandre pochée avec sauce à l'œuf
судак «фри»	soudak fri	sandre frite

Viandes

Quelles viandes avez-vous?	Какое у вас есть мясо?	kakoyè ou vass yèst' myassa
баранина	baranyina	mouton
бараньи котлеты	baranyi katlyètu	côtelettes de mouton
бекон	byèkann	lard
битки	bitki	boulettes de viande
бифштекс	bifchtèks	bifteck
ветчина	vitchyina	jambon
говядина	gavyadyina	bœuf
жареная	jaryinaya	rôti
отварная	atvarnaya	bouilli
печёнка	pyitchyonnka	foie
почки	potch'ki	rognons
ростбиф	rostbif	rosbif
свинина	svinyina	porc
свиные котлеты	svinuyè katlyètu	côtelettes de porc
сосиски	sassisski	saucisses
телятина	tyilyatyina	veau

Gibier et volaille

J'aimerais du gibier ou de la volaille.	Я бы взял дичи или птицы.	ya bu vzyal dyitchyi ilyi ptyitsu
бекас	byèkass	bécassine
вальдшнеп	val'dchnèp	bécasse
гусь	gouss'	oie
заяц	zayats	lièvre
индейка	inndyeïka	dinde
кролик	krolyik	lapin
курица	kouritsa	poule
куропатка	kourapatka	perdrix
перепел	pyèryipyèl	cailles
рябчик	ryaptchyik	gelinotte
тетерев-косач	tyètyiryèf-kasatch	coq de bruyère
утка	outka	canard
цыплёнок	tsuplyonak	poulet

Plats de viande russes

бефстроганов, картофель «фри»	bif stroganaf kartofyil' fri	bœuf à la Stroganoff avec pommes frites
бифштекс натуральный	bifchtèks natural'nuy	bifteck grillé

говядина тушёная с кореньями	gavyadina touchonaya ss karyinyami	bœuf braisé aux légumes aromatiques
голубцы	galouptsu	chou farci
гуляш	goulyach	goulache
жаркое из свинины со сливами	jarkoyè iss swyinyinu ssa slyivami	rôti de porc aux prunes
котлеты натуральные из баранины	katlyètu natoural'nuyè iz baranyinu	côtelettes de mouton grillées
котлеты отбивные из баранины	katlyètu atbivnuyè iz baranyinu	côtelettes de mouton panées
котлеты свиные отбивные	katlyètu svinuyè atbyivnuyè	côtelettes de porc panées
плов из баранины	plof iz baranyinu	hachis de mouton au riz
ростбиф с гарниром	rostbif s garnyiramm	rosbif avec légumes
шашлык	chachluk	chachlyk; petits morceaux de mouton rôtis à la broche
шницель	chnyitsèl'	escalope de veau panée
язык	yizuk	langue
язык отварной	yizuk atvarnoi	langue de bœuf bouillie

Comment aimez-vous la viande?

bleue	не прожаренное	nyè prajaryinnayè
braisée	тушёное	touchonayè
cuite	варёное	varyonayè
en daube	тушёное	touchonayè
farcie	фаршированное	farchurovanayè
grillée	жареное на рашпере (вертеле)	jaryinayè na rachpyiryè (vyèrtilyè)
à point	сильно прожаренное	sil'na prajaryinnayè
rôtie	жареное	jaryinayè
saignante	среднее прожаренное	sryèdnyè prajaryinnayè

Plats de gibier et de volaille

гусь с яблоками	gouss' s yablakami	oie aux pommes
индейка с яблоками	inndyeïka s yablakami	dinde aux pommes
котлеты из кур пожарские	katlyètu iss kour pajarskiyè	petits pâtés de poulet émincé à la Pozharsky
котлеты из куриного филе в сухарях	katlyètu iss kourinava filyè f soukharyakh	blanc de poulet frit et pané
котлеты по-киевски	katlyètu pa-kiyèfski	blanc de poulet farci au beurre
курица отварная с рисом	kouritsa atvarnaya s rissamm	poule au riz
куропатка жареная с вареньем	kourapatka jaryinaya s varyènyèm	perdrix à la confiture
рябчики жареные с вареньем	ryaptchiki jaryinuyè s varyènyèm	cailles grillées à la confiture
утка с тушёной капустой	outka s touchonaï kapoustaï	canard rôti avec chou étuvé
утка с яблоками	outka s yablakami	canard aux pommes
филе из кур фарши-рованное грибами	filyè is kour farchu-rovanayè gribamu	petits pâtés de poulet émincé farcis aux champignons
филе куриное паровое с гребешками	filyè kourinayè paravoyè s gryibyèchkami	poulet désossé, cuit à la vapeur avec crêtes de coqs
цыплёнок жареный с картофелем	tsuplyonak jaryinuy s kartofyilyèm	poulet grillé avec pommes de terre
цыплята «табака»	tsuplyata tabaka	poulet frit à la géorgienne
цыплята жареные в сметане	tsuplyata jaryinuyè f smyitanyè	poulet rôti à la crème aigre
чахохбили из кур	tch'akhokhbilyi iss kour	poulet à la caucasienne, en cocotte, servi avec des tomates

Légumes, fines herbes et épices

Quels légumes recommandez-vous?	Какие овощи вы советуете?	kakiyè ovachtchyi vu savyètouyityi
Je préfère de la salade.	Я бы взял салат.	ya bu vzyal salat

баклажаны	baklajanu	aubergine
бобы	babu	grosses fèves
горох	garokh	petits pois
грибы	gribu	champignons
кабачки	kabatch'ki	courgettes
каперсы	kapyèrssu	câpres
картофель	kartofyèl'	pommes de terre
капуста	kapousta	chou
красная капуста	krassnaya kapousta	chou rouge
кукуруза	koukourouza	maïs
лук	louk	oignons
лук-порей	louk-paryeï	poireaux
морковь	markof'	carottes
овощи	ovachtchyi	légumes
огурец	agouryèts	concombre
перец	pyèryits	poivron vert
перец горький	pyèryits gor'kiy	piments
петрушка	pyitrouchka	persil
помидоры	pamyidoru	tomates
редис	ryidiss	radis
репа	ryèpa	navets
рис	riss	riz
свёкла	svyokla	betteraves
сельдерей	syil'dyiryeï	céleri
фасоль	fassol'	haricots verts
хрен	khryèn	raifort
цветная капуста	tsvyètnaya kapousta	chou-fleur
шпинат	chpinat	épinards

RESTAURANT

Fruits

| Avez-vous des fruits frais? | У вас есть свежие фрукты? | ou vass yèst' svyèjuyè frouktu |
| J'aimerais une salade de fruits frais. | Дайте мне, пожалуйста, фруктового салата. | daïtyi mnyi pajalousta frouktovava salata |

абрикосы	abrikossu	abricots
айва	aïva	coing
ананас	ananass	ananas
апельсины	apyil'ssinu	oranges
арбуз	arbouss	pastèque
банан	banann	banane
виноград	vinagrat	raisins
вишни	vichnyi	griottes
грейпфрут	greïpfrout	pamplemousse
грецкие орехи	gryètskiyè aryèkhi	noix
груша	groucha	poire
дыня	dunya	melon
клюква	klyoukva	airelles
лимон	limonn	citron
малина	malyina	framboise
мандарины	mandarinu	mandarines
маслины	masliny	olives
миндаль	minndal'	amandes
орехи	aryèkhi	noisettes
персики	pjèrsiki	pêches
сливы	slyivu	prunes
финики	finyiki	dattes

Desserts

Après avoir fait honneur à tous les plats, peut-être ajouterez-vous:

J'aimerais un dessert.	Пожалуйста, что-нибудь на третье.	pajalousta chtonyibout' na tryètyè
Quelque chose de léger, je vous prie.	Что-нибудь лёгкое, пожалуйста.	chtonyibout' lyokhkayè pajalousta
Plus rien, merci.	Больше ничего, спасибо.	bol'chu nyitchyivo spassiba

Si vous ne savez que commander, demandez au garçon:

| Que me recommandez-vous? | Что вы посоветуете? | chto vu passavyètouyityi |

En Russie, on termine généralement les repas par une douceur. Un dessert typique, le кисель (**kis**yèl') est une compote de cassis, d'airelles, de cerises ou de pommes liées avec de la fécule de pommes de terre. Après la cuisson, le jus est filtré puis refroidi. On le sert alors avec du sucre, du lait ou de la crème. Enfin, n'oubliez pas de goûter les glaces: elles sont fameuses!

блинчики с вареньем	**blinn**tchyiki s varyè-nyèm	crêpes farcies à la confiture
компот	kam**mpot**	compote de fruits
мороженое	maro**ju**nayè	glace
ванильное	vanyil'**nayè**	vanille
фруктовое	frouk**to**vayè	cassata
шоколадное	chaka**lad**nayè	chocolat
оладьи с яблоками	a**ladyi** s **ya**blakami	chausson aux pommes
пирог с лимоном	pi**rok** s limo**namm**	tarte au citron
ромовая баба	**ro**mavaya **ba**ba	baba au rhum
рисовый пудинг с киселём	**ris**savuy **pou**dinng s kisyil'**yomm**	pudding au riz avec gelée de fruits
пирожное	piroj**nuyè**	biscuits
слоёный торт с фруктовой начинкой	slayo**nuy** tort s **frouk**tavaï na**tchyinn**kaï	gâteau à base de pâte feuilletée, fourré aux fruits
холодное какао	kha**lod**nayè ka**kao**	chocolat glacé
холодный кофе	kha**lod**nuy **ko**fyè	café glacé
шоколадный бисквит	chaka**lad**nuy bis**kvit**	tourte au chocolat
яблочный пирог	**ya**blatchnuy pi**rok**	tarte aux pommes

RESTAURANT

L'addition

L'addition, s.v.p.	**Пожалуйста, счёт.**	pa**jalous**ta chtchyot
Est-ce que vous n'avez pas fait une erreur?	**Вы не ошиблись?**	vu nyi a**chub**lyis'
Acceptez-vous les chèques de voyage?	**Берёте ли вы дорожные чеки?**	byir**yot**yi lyi vu da**roj**nuyè **tchyè**ki
Acceptez-vous les bons de repas Intourist?	**Берёте ли вы обеденные талоны Интуриста?**	byir**yot**yi lyi vu a**byè**dyinnuyè ta**lo**nu inn**tou**rista

Combien de bons vous dois-je ?	Сколько вам дать обеденных талонов?	skol'ka vamm dat' abyèdyinnukh talonaf
Rendez-moi le reste en cigarettes (en chocolat).	Я хочу взять сдачу сигаретами (шоколадом).	ya khatchou vzyat' zdatchyou sigaryètami (chakaladamm)
C'était un très bon repas.	Было очень вкусно.	bula otchyinn' fkoussna
Nous nous sommes régalés, merci.	Нам понравилось, спасибо.	namm pannravulass spassiba

Réclamations

Mais peut-être avez-vous une réclamation à formuler...

Pouvez-vous nous donner une autre table?	Дайте нам, пожалуйста, другой столик.	daïtyi namm pajalousta drougoï stolyik
Ce n'est pas ce que j'ai commandé. J'avais demandé...	Я не это заказывал. Я заказал...	ya nyè èta zakazuval. ya zakazal
Je n'aime pas ceci / Je ne peux pas manger ceci.	Мне это не нравится / Я не могу этого есть.	mnyè èta nyi nravitsa / ya nyi magou ètava yèst'
Pouvez-vous m'apporter autre chose?	Дайте мне, пожалуйста, что-нибудь другое.	daïtyi mnyè pajalousta chtonyibout' drougoyè
La viande est...	Мясо...	myassa
trop cuite / pas assez cuite	пережарено/недожарено	pyiryijaryina/nyidajaryina
trop saignante / trop coriace	сырое/жёсткое	suroyè/jostkayè
C'est trop...	Это слишком...	èta slyichkamm
amer / salé / sucré	горько/солоно/сладко	gor'ka/solana/slatka
La nourriture est froide.	Еда холодная.	yida khalodnaïja
Ce n'est pas frais.	Это не свежее.	èta nyi sfyèjuyè
Envoyez-nous le maître d'hôtel.	Позовите, пожалуйста, мэтр д'отеля.	pazavyityi pajalousta mètrdotèlya

Boissons

Bière

La bière est très populaire en URSS, surtout en été. Un peu partout dans les rues vous verrez des kiosques où l'on peut étancher sa soif. Il existe une marque de bière bon marché que vous trouverez dans les restaurants plus modestes: la *Jigoulevskoye*. Par contre, dans d'autres établissements plus élégants, on vous offrira probablement les marques suivantes (toutes blondes):

рижское	ruchskayè	Rijskoye
московское	maskofskayè	Moskovskoye
ленинградское	lyènyinngratskayè	Leningradskoye
двойное золотое	dvainoyè zalatoyè	Dvoînoye Zolotoye

Au restaurant, quand vous voudrez commander de la bière, vous direz ou bien «une bouteille de bière» ou simplement «une bière». La bière n'est vendue qu'en bouteilles d'un demi-litre.

Apportez-moi une bouteille de bière, s.v.p.	Принесите мне, пожалуйста, бутылку пива.	priyniyissityi mnyè pajalousta boutulkou piva
Une bière blonde, s.v.p.	Светлого пива, пожалуйста.	svyètlava piva pajalousta
Avez-vous de la bière brune?	Есть ли у вас тёмное пиво?	yèst' lyi ou vass tyomnayè piva

Vodka et cognac

Bien des Russes pensent qu'un repas sans vodka n'est pas complet – surtout quand il y a des hors-d'œuvre. La vodka est à base de blé, elle est incolore et ressemble à de l'eau. Mais attention lorsque vous serez invité à dîner chez un ami russe – le temps d'en boire quelques verres et de goûter à quelques *zakouski* – et vous risquez de vous trouver sous la table plus tôt que vous ne le pensiez! En fait ce puissant breuvage est destiné à rompre la glace et permet de lier facilement connaissance. Mais ne tentez pas trop de rivaliser avec les indigènes.

Les Russes boivent volontiers quelques verres de vodka avant le plat principal; si vous ne supportez pas bien l'alcool, essayez de refuser gentiment que l'on remplisse trop souvent votre verre!

La tradition veut qu'on porte des toasts lors des dîners russes. C'est pourquoi nous avons jugé bon de vous proposer quelques formules à la page 60. Bien-sûr votre hôte russe comprendra parfaitement si vous ne faites que lever votre verre en souriant.

Pour commander de l'alcool fort en URSS, les usages diffèrent un peu des nôtres. On ne demande pas seulement: «une vodka s.v.p.» mais il faut indiquer la quantité désirée, pour éviter les malentendus. La plus petite quantité de vodka ou de cognac qu'on peut commander est de 50 grammes (correspondant à un verre, ou à un simple), puis celle de 100 grammes (correspondant à un double, ou double verre). D'autre part, il est possible de commander un verre de vin correspondant généralement à 200 grammes. Une bouteille de vodka ou de cognac contient normalement un demi-litre, une bouteille de vin trois-quarts de litre. Vous pourrez donc dire:

Donnez-moi 50 grammes de vodka/ cognac, s.v.p.	Дайте мне, пожалуй-ста, 50 граммов водки/коньяка.	daïtyi mnyè pajalousta 50 grammmaf votki/ kannyika
150 grammes du même s.v.p.	Пожалуйста, 150 того-же самого.	pajalousta 150 tavo jè samava
Apportez-moi une bouteille de...	Принесите мне, бутылку...	prinyissityi mnyè boutulkou
vodka	водки	votki
cognac	коньяку	kannyikou
vin	вина	vina

Remarque: l'alcool fort est à peu près deux fois plus cher dans les restaurants que dans les magasins. Vous pouvez en acheter à partir de 11 heures du matin. Les magasins de spiritueux en Union Soviétique sont souvent bondés.

Ne vous attendez pas à trouver des boissons «exotiques» dans les cafés de moindre importance. Pour cela, il faudra vous rendre dans les bars et hôtels les plus sophistiqués. Voici ce que vous commanderez peut-être :

apéritif	аперитив	apyiryit**y**if
bière	пиво	piva
brandy	бренди	br**è**ndyi
cognac	коньяк	kan**n**yak
gin	джин	djinn
gin-fizz	джин-физ	djinn fiz
gin-tonique	джин с тоником	djinn s **to**nikamm
	(тонизирующей	(tanyizirouyouch'ei
	водой)	vado**ï**)
liqueur	ликёр	likyor
porto	портвейн	partv**ye**in
rhum	ром	romm
sherry	херес	khy**è**ryiss
vermouth	вермут	vy**è**rmout
vodka	водка	votka
vodka avec jus	водка с апельсино-	votka s apyil'**ss**ina-
d'orange	вым соком	vumm **so**kamm
whisky	виски	viski
sec/avec des	натуральное/со	natoural'nayè sa
glaçons	льдом	l'domm
whisky soda	виски с содовой	viski s **so**davaï
	водой	vado**ï**

verre	стакан	stakan**n**
bouteille	бутылка	bou**tu**lka

Mais ne manquez pas l'occasion de goûter les spécialités suivantes :

коньяк «Енисели»	kan**n**yak yènyisy**è**lyi	Yeniseli, brandy
коньяк «ОС»	kan**n**yak o èss	OS (très vieux) brandy
Мускат крымский	mouskat krumm**s**kiy	Muscat rouge de Crimée
Салхино	salkhino	Salkhino (vin rouge doux)
Чёрные глаза	tchyornuyè glaza	«Les yeux noirs» (vin rouge doux)

J'aimerais goûter de la Pertsovka*, s.v.p.	**Я хотел бы попробовать перцовки.**	ya khatyèl bu paprobavat' pyèrtsofki
Avez-vous des spécialités locales ?	**Есть ли что-нибудь местное или фирменное?**	yèst' lyi chtonyibout' myèstnayè ilyi firmyinnayè

> **ЗА ВАШЕ ЗДОРОВЬЕ!**
> za vachè zdarovyè
> SANTÉ !

Voici quelques idées, si vous voulez porter un toast, lors d'un dîner russe :

Je bois à la santé de notre hôte, Monsieur... !	**За здоровье хозяина, господина...!**	za zdarovyè khazyaina gaspadyina
Je bois à la future coopération entre nos organisations !	**За наше будущее сотрудничество!**	za nachè boudouchtchyiyè satroudnyitchyisstva
Je vous souhaite santé et bonheur !	**За ваше здоровье и благополучие!**	za vachè zdarovyè i blagapaloutchyè

Vins

Même si la vodka est encore la boisson la plus populaire en Union Soviétique, on y boit de plus en plus de vin. Les vignerons de la Crimée et de l'Ukraine produisent de bonnes imitations du champagne et du porto. Le champagne ou le vin mousseux de fabrication soviétique se boit à toutes occasions – même avec de la glace au dessert.

Il y a des vins mousseux secs, mi-doux et doux, dont le plus connu est le *Sovietskoye Champanskoye.*

Un des meilleurs vins, c'est le *Tsinandali,* un vin sec de Géorgie. Cette même région produit un vin rouge de table réputé, le *Moukouzani.*

* Vodka parfumée au poivre.

J'aimerais quelque chose de...	Я хотел-бы чего-нибудь...	ya khatyèl bu tchyivonyibout'
doux/mousseux/sec	сладкого/шипучего/сухого	slatkava/chupoutchyiva/soukhova
J'aimerais une bouteille de vin blanc.	Я хочу бутылку белого вина.	ya khatchyou boutulkou byèlava vina
Je n'aimerais pas quelque chose de trop doux.	Я не хочу ничего слишком сладкого.	ya nyi khatchyou nyitchyivo slyichkamm slatkava
Combien coûte une bouteille de...	Сколько стоит бутылка...?	skol'ka stoit boutulka
C'est trop cher.	Это слишком дорого.	èta slichkamm doraga
N'avez-vous rien de meilleur marché?	Нет ли чего-нибудь подешевле?	nyèt lyi tchyivonyibout' padyichèvlyi
Bien. Ca ira.	Хорошо. Это годится.	kharacho. èta gadyitsya

Si le vin vous a plu, vous pouvez dire :

Apportez-moi encore ..., s.v.p.	Пожалуйста, ещё один (одну)...	pajalousta yichtch'yo adyinn (adnou)
un verre/une carafe/une bouteille	стакан/графин/бутылку	stakann/grafinn/boutulkou
Comment s'appelle ce vin?	Как называется это вино?	kak nazuvayitsya èta vino
D'où vient ce vin?	Откуда это вино?	atkouda èta vino
Quel âge a ce vin?	Какого года вино?	kakova goda vino

blanc	белое	byèlayè
doux	сладкое	slatkayè
mousseux	шипучее	chupoutchyiyè
rouge	красное	krassnayè
rosé	розовое	rozavayè
sec	сухое	soukhoyè
glacé	холодное	khalodnayè
chambré	комнатной температуры	kommnatnai tyimmpyiratouri

Thé

C'est une boisson qui, en URSS, joue à peu près le même rôle que chez les Anglais..., ce qui s'explique, semble-t-il, par les hivers russes, si longs et si rigoureux. La tradition veut que, lorsque le mari rentre à la maison, il se fasse servir un verre de thé bien chaud par sa femme. Même si le bon vieux samovar a été remplacé par une théière plus prosaïque, il est toujours aussi agréable, par un jour d'hiver, de se réunir autour d'une tasse de thé pour se réchauffer.

La plupart des Russes boivent leur thé dans des verres. Ils le préfèrent généralement léger et avec du citron. Certains y mettent une cuillerée de confiture ou de miel, d'autres le prennent avec un morceau de sucre qu'ils laissent fondre dans la bouche. Il est tellement dur, qu'il suffit pour tout le verre.

Kvass

C'est une boisson non alcoolisée qui ressemble à de la bière brune. Elle est faite à base de pain noir et de levure. Il est intéressant de noter que l'on s'en sert couramment pour la préparation de spécialités. Le *kvass* ne figure pas toujours sur les cartes des restaurants, car on l'en juge indigne. Mais vous trouverez dans la rue des vendeurs débitant cette boisson auprès de petites voiturettes. Il ne vous reste alors plus qu'à prendre la file avec les Russes. Pas de problèmes de langue cette fois-ci: vous n'avez qu'à dire:

Un petit, s.v.p.	**Маленькую, пожалуйста.**	malyinnkouyou pajalousta
Un grand, s.v.p.	**Большую, пожалуйста.**	bal'chouyou pajalousta

Autres boissons

De nos jours, on trouve beaucoup de distributeurs de boissons non alcoolisées dans les rues d'URSS. Ces automates ont un dispositif pour débiter les boissons et un autre pour laver le verre (il n'y en a qu'un seul pour tout le monde). On y trouve de la limonade, de l'eau minérale, de la bière, du lait, du café et du cacao. Si vous avez envie d'un de ces délicieux frappés, allez dans un café et demandez un фруктовый коктейль (frouktovuy kakteil').

Je voudrais...	Дайте мне, пожалуйста...	daïtyi mnyè pajalousta
cacao	какао	kakao
café	кофе	kofyè
tasse de café	чашку кофе	tchyachkou kofyè
avec du lait/	с молоком/без	s malakomm/byèz
sans lait	молока	malaka
café turc	кофе по-восточному	kofyè pa vastotch'-namou
eau minérale	минеральной воды	minyiral'naï vadu
jus de canneberge	клюквенный морс	klyoukvyinuy morss
jus de fruit	фруктовый сок	fruktovuy sok
de cerises	вишневый	vichnyovuy
de grenadine	гранатовый	granatavuy
de mandarine	мандариновый	manndarinavuy
d'orange	апельсиновый	apyil'ssyinavuy
de pamplemousse	грейпфрутовый	greïpfroutavuy
de pommes	яблочный	yablachnuy
de pruneaux	сливовый	slyivovuy
de raisins	виноградный	vinagradnuy
kvass	квасу	kvassou
lait	молока	malaka
lait aigre	кефира	kyifira
frappé	фруктовый коктейль	frouktovuy kakteil'
limonade	лимонада	lyimanada
thé	чай	tchyaï
citron	с лимоном	s limonamm
à la confiture	с вареньем	s varyèn'yèm
crème	с молоком	s malakomm
au miel	с мёдом	s myodamm

RESTAURANT

Repas légers – Collations

Si vous n'avez pas envie de manger un grand repas au restaurant mais plutôt quelque chose de léger, allez dans un буфет (bou**fyèt** – snack-bar) ou dans une пирожковая (pirach**kovaya** – établissement où l'on sert des petits pâtés savoureusement farcis). Comme la plupart de ces buffets ont un système self-service, vous n'aurez qu'à dire:

Je prendrai un de ceux-ci, s.v.p.	Дайте мне один такой пожалуйста.	**da**ïtyi mnyè a**dy**inn takoï paja**lou**sta
à gauche/à droite	слева/справа	s**ly**èva/s**pra**va
en haut/en bas	наверху/внизу	navyir**khou**/vni**zou**
Donnez-moi..., s.v.p.	Дайте мне, пожалуйста...	**da**ïtyi mnyè paja**lou**sta
beurre	масла	**mass**la
biscuits	печенья	pyit**chyèn'**ya
cake	кекс	**kyèks**
céréales	каши	**ka**chu
(plaque de) chocolat	шоколада (плитку)	chaka**la**da (**plyit**kou)
fromage (à la hollandaise)	сыр	sur
gâteau	пирожное	piro**jnayè**
glace	мороженого	maro**ju**nava
œufs	яйца	**ya**ïtsa
pain	хлеба	**khlyè**ba
pain blanc	белого хлеба	b**yè**lava **khlyè**ba
pain noir	черного хлеба	**tchyor**nava **khlyè**ba
pâté	паштета	pach**tyè**ta
petit pain	булочку	**bou**latch'kou
petits pâtés	пирожок	pira**jok**
rissole à la viande	пирога	pi**ra**ga
sandwich	бутерброд	boutyir**brot**
sandwich au caviar	бутерброд с икрой	boutyir**brot** s i**kro**ï
sandwich au fromage	бутерброд с сыром	boutyir**brot** ss **su**ramm
sandwich au jambon	бутерброд с ветчиной	boutyir**brot** s vitchyi-**no**ï
saucisses de Francfort	сосисок	sa**ssis**sak
saucisses russes	сардельки	sar**dyèl**ki
séré doux	сырок	su**rok**
Combien ça fait?	Сколько это стоит?	**skol'**ka **è**ta sto**ït**

Excursions

En avion

Même si les hôtesses de l'air d'Aeroflot ne sont pas aussi
sveltes que leurs collègues occidentales, elles sont tout aussi
aimables et prêtes à vous rendre service. Certaines d'entre
elles ne parlant pas couramment le français, voici quelques
expressions utiles:

Parlez-vous français?	Вы говорите по-французски?	vu gavarityi pafranntsouski
Y a-t-il un vol pour Leningrad?	Есть ли рейс на Ленинград?	yèst′ lyi ryeïss na lyènyinngrat
A quelle heure part le prochain avion pour Kiev?	Когда отлетает следующий самолёт в Киев?	kagda atlyitayèt slyèdouyouchtchyi samalyot f kiyèf
J'aimerais un billet pour Moscou.	Дайте мне, пожалуйста, билет до Москвы.	daïtyi mnyè pajalousta bilyèt da maskvu
Combien coûte le billet pour Bakou?	Сколько стоит билет до Баку?	skol′ka stoït bilyèt da bakou
simple aller et retour	в один конец туда и обратно	v adyinn kanyèts touda i abratna
A quelle heure l'avion décolle-t-il?	В котором часу отлетает самолёт?	f katoramm tchyissou atlyitayèt samalyot
A quelle heure dois-je me présenter à l'enregistrement?	В котором часу я должен зарегистрировать багаж?	f katoramm tchyissou ya doljunn zaryigistriravat′ bagaj
Quel est le numéro du vol?	Какой номер рейса?	kakoï nomyir ryeïssa
J'aimerais encore un peu de café/de cognac.	Дайте мне, пожалуйста ещё кофе/коньяку.	daïtyi mnyè pajalousta yichtch′yo kofyè/kannyakou

Et dans l'avion...

Je me sens mal.	Я себя плохо чувствую.	ya syibya plokha tchyoustvouyou
Où sont les toilettes?	Где туалет?	gdyè toualyèt

EXCURSIONS

En train

L'Union soviétique est un immense pays, et tous ceux qui comptent y voyager en train essayeront de garder le sourire au fil des heures... quoique beaucoup plus intéressant et instructif, un voyage en train exige de vous de meilleures connaissances linguistiques ainsi qu'une certaine expérience des voyages individuels. La réservation des billets est généralement faite à l'avance mais le bureau Intourist de votre hôtel sera toujours à votre disposition pour toute nouvelle information. Si vous décidez de prendre le train afin de découvrir la banlieue de la ville où vous séjournez, consultez auparavant le représentant d'Intourist au sujet d'éventuelles limitations de déplacement. En Russie, les gares sont des endroits très animés où vous pourrez observer à loisir toute la diversité des peuples d'Union soviétique. C'est l'endroit rêvé pour étudier les mœurs et coutumes russes !

Types de trains

Экспресс (èks**pryèss**)	Express, avec voitures de luxe; ne s'arrête qu'aux gares principales. Surtaxe
Скорый поезд (**sko**ruy poist)	Rapide, s'arrêtant aux gares principales. Surtaxe
Пассажирский поезд (passa**jur**skiy poist)	Train intervilles; ne s'arrête pas aux gares de moindre importance; tarif normal. Rarement utilisés pour les voyages organisés
Электричка (èlyik**tritch**ka)	Train omnibus, s'arrêtant à presque toutes les gares
Международный вагон (mèjdouna**rod**nuy va**gonn**)	Wagon-lit avec compartiments individuels (normalement pour 2 personnes) et lavabo
Мягкий вагон (**myakh**kiy va**gonn**)	Wagon-lit avec compartiments individuels (pour 2 ou 4 personnes)
Купейный вагон (kou**pyeï**nuy va**gonn**)	Wagon-couchettes avec compartiments pour quatre personnes
Вагон-ресторан (va**gonn** ryistra**rann**)	Wagon-restaurant

A la gare

Où est la gare?	**Где вокзал?**	gdyè vag**zal**
Taxi, s.v.p.	**Такси!**	tak**si**
Conduisez-moi à la gare, s.v.p.	**К вокзалу, пожалуй- ста.**	k vag**zal**ou paja**lous**ta

Billets

En fait, il n'y a pas de première ou deuxième classe dans les trains soviétiques. Mais les chemins de fer offrent générale- ment un confort supérieur à la moyenne des réseaux occidentaux.

Où est/sont...?	**Где...?**	gdyè
le bureau de renseignements	**справочное бюро**	spra**vatch**nayè **byou**ro
le bureau de réservation	**бюро предваритель- ной продажи биле- тов**	**byou**ro pryèdva**ri**tyèl'noi pra**da**ju bi**lyè**taf
le guichet des billets	**билетная касса**	bi**lyèt**naya **kass**a
J'aimerais un billet pour Rostov, aller et retour, en couchette.	**Дайте мне, пожалуй- ста, билет до Росто- ва, купейный, туда и обратно.**	**daï**tyi mnyè paja**lous**ta bi**lyèt** da **ros**tova kou**peï**nuy **tou**da i **abrat**na
J'aimerais 2 billets aller simple pour Volgograd.	**Мне нужно 2 билета в один конец до Волгограда.**	mnyè **nouj**na 2 bi**lyè**ta v a**dyinn** ka**nyèts** da volga**gra**da
Combien coûte un billet pour Odessa?	**Сколько стоит билет до Одессы?**	**skol**'ka **sto**it bi**lyèt** da a**dyè**ssu

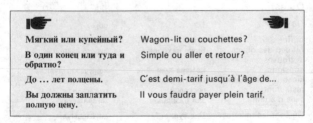

Мягкий или купейный?	Wagon-lit ou couchettes?
В один конец или туда и обратно?	Simple ou aller et retour?
До ... лет полцены.	C'est demi-tarif jusqu'à l'âge de...
Вы должны заплатить полную цену.	Il vous faudra payer plein tarif.

EXCURSIONS

Autres renseignements

Est-ce un train direct?	Это прямой поезд?	èta pryimoï poïst
Ce train s'arrête-t-il à Minsk?	Останавливается ли этот поезд в Минске?	astanavlivayètsya lyi ètat poïst v minnskyè
Quand part le... train pour Volgograd?	Когда... поезд на Волгоград?	kagda... poïst na volgagrad
premier/dernier/ prochain	первый/последний/ следующий	pyèrvuy/paslyèdnyiy/ slyèdouyouchtchyiy
A quelle heure arrive le train de Riga?	В котором часу приходит поезд из Риги?	f katoramm tchyissou prikhodyit poïst iz righi
A quelle heure part le train pour Gorki?	В котором часу отходит поезд на Горький?	f katoramm tchyissou atkhodyit poïst na gor'kiy
Est-ce que le train va partir à l'heure?	Поезд отойдёт по расписанию?	poïst ataïdyot pa raspissanyou
Y a-t-il un wagon-restaurant?	Есть ли в этом поезде вагон-ресторан?	yèst' lyi v ètamm poïzdyè vagonnryistrarann

ВХОД	ENTREE
ВЫХОД	SORTIE
К ПЕРРОНАМ	QUAIS

Où est...?

Où est...?	Где...?	gdyè
buffet	буфет	boufyèt
bureau des objets trouvés	бюро находок	byouro nakhodak
consigne	камера хранения	kamira khranyèniya
kiosque à journaux	газетный киоск	gazyètnuy kiosk
restaurant	ресторан	ryistarann
salle d'attente	зал ожидания	zal ajudanya
Où sont les toilettes?	Где туалет?	gdyè toualyèt

Quais

De quel quai part le train pour Leningrad?	С какой платформы отходит поезд на Ленинград?	ss kakoï platformu atkhodyit poïst na lyènyinngrat
Sur quel quai arrive le train d'Odessa?	На какую платформу приходит поезд из Одессы?	na kakouyou platformou prikhodyit poïst iz adyèssu
Où est le quai 7?	Где платформа номер 7?	gdyè platforma nomyir 7
Est-ce bien de ce quai que part le train pour...?	Поезд на... отходит с этой платформы?	poïst na...atkhodyit s ètaï platformu

Это прямой поезд.	C'est un train direct.
Пересадка в...	Il vous faudra changer à...
В ... вы должны пересесть на местный поезд.	Changez à... et prenez un train omnibus.
Платформа номер...	Le quai... est...
там/внизу слева/справа	là-bas/en bas à gauche/à droite
Поезд на ... отходит в ... с платформы номер...	Le train pour... part à... du quai...
Поезд №... на Брест опаздывает на ... минут.	Le train n°... pour Brest aura ... minutes de retard.
Поезд опаздывает на ... минут.	Le train est annoncé avec un retard de... minutes.

EXCURSIONS

POUR LES NOMBRES, voir page 175

Dans le wagon

Pardon. Puis-je passer.	**Разрешите пройти.**	razrichutyi praityi
Cette place est-elle réservée?	**Это место занято?**	èta myèsta zanyata
Cette place est-elle libre?	**Это место свободно?**	èta myèsta svabodna

> **НЕ КУРИТЬ**
> NON-FUMEURS

C'est ma place, je crois.	**По-моему, это моё место.**	pa moïmou èta mayo myèsta
Pouvez-vous me faire signe lorsque nous arriverons à Odessa?	**Скажите мне, пожалуйста, когда мы прибудем в Одессу?**	skajutyi mnyè pajalousta kagda mu priboudyimm v adyèssou
Comment s'appelle cette gare?	**Какая это станция?**	kakaya èta stanntsuya
Combien de temps ce train s'arrête-t-il ici?	**Сколько здесь стоит поезд?**	skol'ka zdyèss' staït poïst
A quelle heure arriverons-nous à Rostov?	**Когда мы прибудем в Ростов?**	kagda mu priboudyimm v rastof

Pendant le trajet, le contrôleur (контролер – kanntralyèr) passera et dira:

| Tous les billets, s.v.p.! | **Ваши билеты, пожалуйста!** | vachu bilyètu pajalousta |

Au wagon-restaurant

La plupart des rapides ont un wagon-restaurant. Le proviadnik (pravadnyik – garçon) vous servira du thé pour un prix modique. Beaucoup de trains possèdent un buffet ambulant avec des sandwichs, biscuits et boissons non alcoolisées.

| Où est le wagon-restaurant? | Где вагон-ресторан? | gdyè vagonn-ryistrarann |
| Donnez-moi une tasse de thé, s.v.p. | Дайте мне, пожалуйста, стакан чаю. | daïtyi mnyè pajalousta stakann tchaïyou |

En wagon-lit

Il vous faudra réserver votre couchette à l'avance. Habituellement, le steward vous apporte une tasse de thé le matin. Si vous voulez du café, mieux vaut emporter avec vous du café instantané.

Y a-t-il des compartiments libres dans le wagon-lit?	Есть ли свободное купе в спальном вагоне?	yèst' lyi svabodnayè koupè f spal'namm vagonyè
Où est le wagon-lit?	Где спальный вагон?	gdyè spal'nuy vagonn
Où est ma couchette?	Где моя полка?	gdyè maya polka
Pouvez-vous me donner une autre couchette?	Нет ли другой полки?	nyèt lyi drougoï polkyi
J'aimerais une couchette inférieure/supérieure.	Я хотел бы нижнюю полку/верхнюю.	ya khatyèl bu nyijnouyou polkou/vyèrkhnouyou
Pouvez-vous préparer nos couchettes?	Постелите нам, пожалуйста.	pastyilyityi namm pajalousta
Réveillez-moi à 7 heures, je vous prie.	Разбудите меня, пожалуйста, в 7 часов утра.	razboudyityi myinya pajalousta f 7 tchyissof outra
Apportez-moi une tasse de thé demain matin, je vous prie.	Могли бы вы мне принести утром чай?	maglyi bu vu mnyè prinyisti outramm tchyaï

Bagages et porteurs

| Pouvez-vous porter mes valises? | Возьмите, пожалуйста, мои чемоданы. | vaz'myityi pajalousta maï tchyimadanu |
| Posez-les ici, je vous prie. | Поставьте их сюда, пожалуйста. | pastaftyi ikh syouda pajalousta |

POUR LE PORTEUR, voir aussi page 24

EXCURSIONS

Objets trouvés

Espérons que pendant votre voyage vous n'aurez pas besoin des phrases que voici, mais sait-on jamais...

Où est le bureau des objets trouvés?	Где бюро находок?	gdyè byouro nakhodak
J'ai perdu mon/ma/mes...	Я потерял ...	ya patyiryal
ce matin hier	сегодня утром вчера	sivodnya outramm ftchyira
C'est un objet de valeur.	Эта вещь очень ценная.	èta vyèchch' otchyinn' tsènnaya

Horaires

Si vous comptez beaucoup voyager en train, il vaut mieux vous procurer un horaire. On peut en acheter dans les gares, les guichets de renseignements et dans certaines librairies.

J'aimerais acheter un horaire.	Я хотел бы купить расписание.	ya khatyèl bu koupit' raspissan'yè

Métro

Contrairement à celui de Londres ou de Paris, le métro de Moscou (метро – myitro) est magnifiquement décoré, propre et relativement peu bruyant. Ses escaliers roulants vertigineux semblent vouloir vous emmener jusqu'au centre de la terre. Chaque station se distingue par un style particulier. Pour 5 kopecks, vous pouvez voyager pendant une journée entière sur toutes les lignes.

Où est la station de métro la plus proche?	Где ближайшее метро?	gdyè blyijaïchèyè myitro
Ce métro va-t-il à...?	Этот поезд идёт до...?	ètat poist idyot da
Où dois-je changer pour...?	Где мне сделать пересадку на...?	gdyè mnyè zdyèlat' pyiryissatkou na
Est-ce que le prochain arrêt est bien...?	Следующая станция...?	slyèdouyouchch'yaya stanntsuya

Bus – Tram

Il y a un automate à billets dans la plupart des bus. Les gens paraissent très honnêtes et s'il y a foule dans le bus, on vous demandera de faire passer les pièces de 5 kopecks en direction de l'automate. Contrairement à d'autres pays les conducteurs de bus en Russie ne portent pas d'uniforme.

Où puis-je prendre un bus pour l'avenue Kalinine?	Где мне сесть на автобус до проспекта Калинина?	gdyè mnyè syès't' na aftobouss da praspyèkta kalyinina
Quel bus va à l'hôtel…?	На каком автобусе я могу доехать до гостиницы…?	na kakomm aftoboussyè ya magou dajèkhat' da gastyinyitsou
Où est l'/le…?	Где…?	gdyè
arrêt du bus terminus	остановка автобуса конечная остановка	astanofka aftoboussa kanyèchnaya astanofka
A quelle heure part le… bus pour l'Université d'Etat de Moscou?	Когда идёт… автобус к Московскому университету?	kagda idyot… aftobouss k maskofskamou ounyivyèrsityètou
premier/dernier/ prochain	первый/последний/ следующий	pyèrvuy/paslyèdniy/ slyèdouyouchtchyiy
Quelle est la fréquence des bus pour la bibliothèque Lénine?	Как часто идут автобусы к Ленинской библиотеке?	kak tch'asta idout aftoboussu k lyènyinnskai biblyotyèkè
Faut-il changer de bus?	Нужно мне делать пересадку?	noujna mnyè dyèlat' pyiryissatkou
Combien de temps dure la course?	Сколько мне ехать?	skol'ka mnyè yèkhat'
Pouvez-vous passer de la monnaie jusqu'à l'automate?	Пожалуйста, передайте деньги на билет.	pajalousta pyiryidaïtyi dyèn'ghi na byilyèt
Pouvez-vous me faire de la monnaie pour l'automate?	Не разменяете ли вы мне деньги на билет	nyi razmyinyaïtyi lyi vu mnyè dyèn'ghi na byilyèt
Pouvez-vous me dire quand je dois descendre?	Вы мне скажете, когда сходить?	vu mnyè skajutyi kagda skhadyit'

Je veux descendre au Kremlin.	Я хочу сойти у Кремля.	ya khatchyou saïtyi ou kryèmlya
Déposez-moi au prochain arrêt, s.v.p.	Вы сходите на следующей?	vu skhadyityi na slyèdouyouchtch'yeï
Puis-je avoir mes bagages, s.v.p.?	Подайте мне, пожалуйста, мой чемодан.	padaïtyi mnyè pajalousta moï tchyimadann

ОСТАНОВКА	**ARRÊT DE BUS**
ОСТАНОВКА ПО ТРЕБОВАНИЮ	**ARRÊT FACULTATIF**

Bateaux et croisières

Vous pouvez aussi visiter l'Union Soviétique en bateau. Vous apprendrez ainsi à connaître la vie russe avant même d'aborder en URSS. Une fois arrivé, vous pouvez faire une croisière le long de la Volga. Les bateaux fluviaux ont des solariums, des piscines et on y organise même des soirées dansantes. Il est aussi possible de se promener en hydroglisseur sur la Moskova.

Quand part le bateau?	Когда отходит пароход?	kagda atkhodyit parakhot
J'aimerais descendre à terre.	Я хотел бы сойти на берег.	ya khatyèl bu saïtyi na byèryèk
Où est ma cabine?	Где моя каюта?	gdyè maya kayouta
Le bateau aborde-t-il à Volgograd?	Пароход останавливается в Волгограде?	parakhot astanavlyivayitsya v volgagradyè
Quelle ville est-ce?	Какой это город?	kakoï èta gorat
Nous aimerions louer une voiture pour un jour.	Мы хотим взять машину напрокат на сегодняшний день.	mu khatyimm vzyat' machunou naprakat na sivodnyichnyiy dyèn'

Visites touristiques

Dans vos arrangements de voyage sont incluses une ou plusieurs visites commentées. Adressez-vous au bureau Intourist de votre hôtel, on vous y renseignera.

Dans ce chapitre, nous parlerons plus des aspects culturels que des divertissements, et pour l'instant de la ville plutôt que de la campagne. Si vous désirez un guide (livre), demandez:

Pouvez-vous me recommander un bon guide pour...?	Могли бы вы мне указать хороший путеводитель по...?	maglyi bu vu mnyè oukazat' kharochuy poutyivadyityèl' po
Y a-t-il un bureau Intourist?	Есть ли здесь бюро Интуриста?	yèst' lyi zdyèss' byouro inntourista
Que faut-il surtout visiter?	Какие здесь главные достопримечатель-ности?	kakiyè zdyèss' glavni dastaprimyitchyatyilnastyi
Nous ne sommes ici que pour...?	Мы здесь только на...	mu zdyèss' tol'ka na
quelques heures un jour une semaine	несколько часов день неделю	nyèskal'ka tchyissof dyèn' nyidyèlyou
Pourriez-vous me recommander un tour de ville?	Как вы думаете, стоит осматривать достопримеча-тельности?	kak vu doumayètyè stoit asmatrivat' dastaprimyètchyatyil-nastyi
D'où part le bus?	Откуда отходит автобус?	atkouda atkhodyit aftobouss
Passe-t-il nous prendre à l'hôtel?	Заедут ли за нами в гостиницу?	zayèdout lyi za namyi v gastyinyitsou
Quel bus/tramway devons-nous prendre?	Какой нам нужен автобус/трамвай?	kakoï namm noujèn aftobouss/trammvaï
Combien coûte le tour?	Сколько это стоит?	skol'ka èta stoit
A quelle heure partons-nous?	Когда начинается экскурсия?	kagda natchinayitsya èkskoursiya

POUR LES HEURES, voir page 178

Y a-t-il un guide qui parle français?	Есть ли гид, говорящий по-французски?	yèst' lyi ghyid gavaryachchyiy pa-franntsouski
Où se trouve/Où se trouvent...?	Где находится/Где находятся...?	gdyè nakhodyitsya/gdyè nakhodyatsya
bibliothèque Lénine	Ленинская библиотека	lyèninnskaya biblyiatyèka
centre (de la ville)	центр города	tsèntr gorada
château	замок	zamak
cimetière	кладбище	kladbichtchyè
tribunal	суд	sout
couvent	монастырь	manastur'
docks	пристань	pristann'
église	церковь	tsèrkaf'
exposition	выставка	vustafka
fontaine	фонтан	fanntann
forteresse	крепость	kryèpast'
galerie d'art	картинная галерея	kartinnaia galyiryèya
GUM (Grands Magasins)	Гум	goum
jardins	сады	sadu
jardin botanique	ботанический сад	batanitchyeskiy sad
jardin zoologique	зоопарк	zaapark
Kremlin	Кремль	kryèml'
lac	озеро	ozyira
marché	рынок	runak
mémorial	памятник	pamyatnik
monument	монумент	manoumyènt
municipalité	горсовет	gorsavyèt
Musée de la Révolution	Музей Революции	mouzyei rivalyoutsuy
observatoire	обсерватория	apsyèrvatoriya
opéra	оперный театр	opyèrnuy tyiatr
palais	дворец	dvaryèts
parc	парк	park
place du marché	рынок	runak
Place Rouge	Красная Площадь	krasnaya plochchyat'
planétarium	планетарий	planyitaryi
port	порт	port
poste	почта	potchyta
ruines	развалины	razvalyinu
salle de concerts	концертный зал	kanntsèrtnuy zal
stade	стадион	stadyonn
station de métro	станция метро	stanntsuya myitro
statue	статуя	statouya
studios Mosfilm	киностудия Мосфильм	kinastoudyiya mosfil'm

temple	храм	khramm
théâtre	театр	tyiatr
Théâtre Bolchoï	**Большой Театр**	bal'choï tyiatr
tombe	могила	maghila
tour	башня	bachnya
université	университет	ounyivèrsityèt
usine	фабрика	fabrika
vignoble	виноградники	vinagradnyiki

Entrée

Est-ce que... est ouvert le dimanche?	**Открыт ли... по вос-кресеньям?**	atkrut lyi... pa vaskryisyèn'yamm
Quelle est l'heure d'ouverture?	**Когда открывается?**	kagda atkruvaitsya
Quelle est l'heure de fermeture?	**Когда закрывается?**	kagda zakruvaitsya
Combien coûte l'entrée?	**Сколько стоит билет?**	skol'ka stoit bilyèt
Y a-t-il une réduction pour...?	**Есть ли скидка для...?**	yèst' lyi skitka dlya
étudiants / enfants	студентов/детей	stoudyèntaf/dyityeï
Avez-vous un guide (en français)	**Есть ли у вас путе-водитель (по-французски)**	yèst' lyi ou vass poutyivadyityèl' (pa-franntsouski)
Puis-je acheter un catalogue?	**Я хочу купить каталог.**	ya khatchyou koupit' katalak
Est-il permis de prendre des photos?	**Можно ли снимать?**	mojna lyi snyimat'

| **ВХОД БЕСПЛАТНЫЙ/ СВОБОДНЫЙ** | ENTREE LIBRE |
| **ФОТОГРАФИРОВАТЬ ВОСПРЕЩАЕТСЯ** | INTERDICTION DE PHOTOGRAPHIER |

Quoi – Qui – Quand?

Quel est ce bâtiment?	Что это за здание?	chto èta za **zdan**'yè
Qui en est...?	Кто был...?	kto bul
l'architecte	архитектор	arkhi**tyèk**tar
le peintre	художник	khou**doj**nyik
le sculpteur	скульптор	**skoul**'ptar
Qui est l'auteur de ce tableau?	Кто написал эту картину?	kto na**piss**al **è**tou kar**tyi**nou
A quelle époque vivait-il?	Когда он жил?	ka**gda** onn jul
A quelle époque remonte la construction?	Когда это было построено?	ka**gda** èta **bu**la pa**stroi**na
Où est la maison dans laquelle... a vécu?	Где дом, в котором жил...?	gdyè domm f ka**to**ramm jul
Nous nous intéressons à...	Мы интересуемся...	mu intyiryi**ssoui**mmsya
antiquités	старинным бытом	sta**rinn**num **bu**tamm
archéologie	археологией	arkhia**lo**ghiyeï
art	искусством	is**koust**vamm
ballet	балетом	ba**lyè**tamm
beaux-arts	изобразительным искусством	izabra**zityil**'numm is**koust**vamm
céramique	керамикой	kyi**ra**mikaï
faune et flore	природой	pri**ro**daï
géologie	геологией	ghia**lo**ghiyeï
histoire	историей	is**to**riyeï
histoire naturelle	естествознанием	yèstyèstva**znan**'yèm
icônes	иконами	i**ko**nami
médecine	медициной	myè**dyit**sunaï
mobilier	мебелью	**myè**byil'you
monnaies	нумизматикой	noumyi**zmat**ykaï
musique	музыкой	**mouz**ukaï
ornithologie	орнитологией	arnyi**ta**logiyeï
peinture	живописью	ju**va**pissyou
poterie	керамикой	kyi**ra**mikaï
sculpture	скульптурой	skoul'**ptou**raï
zoologie	зоологией	zoo**lo**ghiyeï
Où est le département de...?	Где отдел...?	gdyè at**dyèl**

Voici l'adjectif que vous cherchiez...

C'est...	Это...	èta
beau	прекрасно	pryi**krass**na
détestable	отвратительно	atvra**tityil**'na
étonnant	поразительно	para**zityil**'na
étrange	удивительно	oudyi**vityil**'na
horrible	ужасно	ou**jass**na
imposant	непреодолимо	nyipriada**lyi**má
intéressant	интересно	inntyir**yèss**na
laid	безобразно	byiza**braz**na
sinistre	скверно	sk**vyèr**na
splendide	великолепно	vyilyika**lyèp**na
stupéfiant	изумительно	izou**mityil**'na
superbe	великолепно	vyilyika**lyèp**na
terrible	страшно	**strach**na

Services religieux

La plupart des églises sont ouvertes au public. Dans les églises orthodoxes (de loin les plus fréquentes) on trouve surtout des vieilles femmes parmi les fidèles. C'est peut-être le hasard qui veut que les gratte-ciel modernes de Moscou se dressent souvent juste à côté des petites églises orthodoxes, aux murs blanchis et aux coupoles dorées. Les femmes doivent se couvrir en entrant dans une église. Comme il n'y a ni chaises ni bancs, gare à vos jambes lors des services prolongés.

Y a-t-il ici une...?	Есть ли тут по-близости...?	yèst' lyi tout pa-**blyi**zastyi
église baptiste	баптистский молитвенный дом	bap**tyi**skiy ma**lyit**vyiniy dom
église catholique	католическая церковь	katali**tchyis**kaya **tsèr**kaf
église orthodoxe	православная церковь	pravass**lav**naya **tsèr**kaf
synagogue	синагога	sina**go**ga
Peut-on visiter l'église?	Можно ли пойти в церковь?	**moj**na lyi pai**tyi** f **tsèr**kaf
Où puis-je trouver un prêtre qui parle français?	Где найти священника который говорит по-французски?	gdyè nai**tyi** sfyi-**chtchyèn**nyika katoruy ga**va**rit pa-**frann**tsouski

Distractions

Cinémas

Dans la plupart des cinémas, la première séance commence vers 9 heures du matin et la dernière projection peut se terminer vers minuit. Entre les actualités et le film principal, il y a un bref entracte. Parfois, vous trouverez un bar dans le hall.

Le programme des cinémas est donné dans Вечерняя Москва (vyi**tchyèr**nyiya mask**va** – le journal du soir de Moscou), ou dans l'hebdomadaire en langue anglaise, *Moscow News*.

Si vous vous égarez, n'hésitez pas à demander votre chemin dans l'un des nombreux stands d'information (справочное бюро – **spra**vatchnayè byou**ro**) que vous découvrirez aux carrefours principaux. La personne responsable dispose d'annuaires téléphoniques, de cartes et de plans de ville. Pour 10 à 20 kopecks, elle indiquera votre chemin sur un bout de papier. Si vous disposez d'un plan et savez déchiffrer les caractères cyrilliques, ces kiosques d'information vous apporteront une aide précieuse.

Donnez-moi la «Vietchernaïa Moskva», s.v.p.	Дайте мне, пожалуйста, «Вечернюю Москву».	da**ï**ty mnyè pajal**ou**sta vyi**tchyèr**nyou**you** mask**vou**
Qu'y a-t-il ce soir au cinéma Mir?	Что идёт сегодня вечером в кино «Мир»?	chto i**dyot** sivo**dn**ya vy**è**tchyiramm f kino mir
De quel genre de film s'agit-il?	Что это за фильм?	chto **è**ta za fil′m
Pouvez-vous m'indiquer un/une...?	Не могли бы вы посоветовать...?	nyi ma**gly**i bu vu pa-ssavy**è**tavat′
bon film	хороший фильм	cha**ro**chuy fil′m
comédie	комедию	kam**yè**dyiyou
comédie musicale	музыкальное ревю	mouzu**kal**′nayè ry**è**vyou
drame	драму	**dra**mou
documentaire	документальный фильм	dakoumy**è**n**tal**′nuy fil′m

Théâtre

Même si vous ne comprenez pas très bien le russe, le théâtre est une chose à ne pas manquer. Allez voir une des pièces que vous avez déjà vues en français – par exemple une des œuvres de Tchekhov ou de Molière. Parmi les théâtres les plus connus, citons le théâtre Malyet, le Théâtre d'Art de Moscou (MXAT). Quant aux théâtres d'avant-garde, ce sont le Théâtre Taganka et le Sovremennik. Si vous voyagez avec votre famille, n'oubliez pas de visiter le Théâtre des Marion-nettes et le Théâtre Central des Enfants.

La *Pravda* vous donne journellement le programme des théâtres moscovites. Vous pouvez vous y rendre en matinées ou en soirées – commençant généralement à 19 heures précises. Certaines pièces affichent parfois complet des semaines à l'avance. Les deux ou trois entractes de chaque spectacle vous permettront de grignoter un sandwich.

Dans quel théâtre joue-t-on cette pièce de Tchekhov ?	Где идёт эта пьеса Чехова?	gdyè idyot èta pyèssa tchyèkhava
Qui joue le rôle principal ?	Кто играет главную роль?	kto igraït glavnouyou rol'
Quel est le metteur en scène ?	Кто режиссёр?	kto ryèjusyor
A quelle heure le spectacle commence-t-il ?	Когда начало?	kagda natchyala
Y a-t-il des places pour ce soir ?	Есть ли ещё билеты на сегодня?	jèst' lyi yichtch'yo bylyètu na sivodnya
J'aimerais une place au parterre.	Я хочу место в первых рядах.	ya khatchyou myèsta f pyèrvukh ryidakh
Pas trop en arrière.	Не слишком далеко от сцены.	nyi slyichkamm dalyiko at stsyènu
Près du couloir.	У прохода.	ou prakhoda
Combien coûtent les places au balcon ?	Сколько стоят места в первом ярусе?	skol'ka stoyat myèsta f pyèrvamm yaroussyè

Opéra – Ballet – Concert

L'URSS compte plus de 30 opéras et corps de ballets, non seulement à Moscou ou à Léningrad mais également dans de nombreuses villes de province. La renommée du Théâtre Bolchoï, fondé en 1776, a fait de Moscou l'une des capitales de la danse classique et de l'art chorégraphique. Pour la réservation des places, adressez-vous à votre agence Intourist avant de partir pour l'URSS. Malgré ses 5 balcons et 2150 places, ce théâtre mondialement connu est généralement complet.

Où se trouve l'opéra?	**Где оперный театр?**	gdyè opyirnuy tyiatr
Que joue-t-on ce soir à l'Opéra?	**Какая сегодня опера?**	kakaya sivodnya opyira
Quel ballet donne-t-on ce soir?	**Какой сегодня балет?**	kakoï sivodnya balyèt
A quelle heure commence le spectacle?	**Когда начало?**	kagda natchyala
Quel est le nom de l'orchestre?	**Какой оркестр играет?**	kakoï arkyèstr igrayit
Qui est le chef d'orchestre?	**Кто дирижирует?**	kto dyirijurouyit
Qui danse le rôle principal?	**Кто танцует главную партию?**	kto tanntsouit glavnouyou partyiyou

---

☞	☜
Извините, все билеты проданы.	Je suis désolé, c'est complet.
Осталось только несколько мест в первом ярусе.	Il ne reste que quelques places au balcon.
Ваш билет, пожалуйста!	Puis-je voir votre billet, s.v.p.?
Вот ваше место.	Voici votre place.

Boîtes de nuit – Dancing

Il n'y a pas de boîtes de nuit en URSS. Les cafés et restaurants où vous pouvez écouter de la musique et danser ferment habituellement vers minuit. Mais dans les appartements, vous entendrez des chants et de la musique jusqu'au petit matin.

On danse pendant toute l'année dans les parcs, les clubs et les maisons («palais») de culture, placés sous l'égide des organisations de jeunesse. Il en va de même sur les paquebots et les bateaux fluviaux. Renseignez-vous auprès d'Intourist.

Dans les restaurants-dancing, vous pouvez inviter une jeune fille à danser, mais à la condition de demander la permission à son partenaire.

Où pouvons-nous danser?	Где можно потанцевать?	gdyè **mo**jna patanntts**a**vat'
Il y a un bal à la maison de culture.	В доме культуры вечер танцев.	v **do**myè koul'**tou**ru vyè**tchy**ir **tann**tsif
J'aimerais aller à une soirée du Komsomol.	Я хотел бы пойти на комсомольский вечер.	ya khat**yèl** bu paï**ty**i na kammsa**mol**'skiy vyè**tchy**ir
M'accordez-vous cette danse?	Разрешите пригласить вас на танец.	razri**chu**tyi pригla**ss**it' vass na tan**yèts**
Voulez-vous danser?	Хотите потанцевать?	kha**ty**ityi patanntts**a**vat'
Oui, avec plaisir.	Да, с удовольствием.	da s oudavo**l**'stviyèm
Quelle danse préférez-vous?	Какой танец вы предпочитаете?	ka**koï** ta**nyèts** vu pryèd-patchyi**taï**tyè
Non merci, je n'ai pas envie de danser.	Нет, спасибо, мне не хочется.	nyèt spasiba mnyè nyi **kho**tchyitsya

Jouez-vous...

En Union Soviétique, si vous jouez aux échecs, vous êtes «dans le vent». Si vos leçons de russe vous semblent trop ennuyeuses exercez-vous aux échecs avant de partir pour l'URSS. Une telle partie de jeux vous rapprochera plus des Russes que vos connaissances linguistiques. Vous pouvez même emporter avec vous un mini-jeu d'échecs: pendant un long voyage en train, il peut vous faire passer le temps.

Jouez-vous aux échecs?	**Не играете ли вы случайно в шахматы?**	nyi igra**y**ityi lyi vu sloutcha**ï**na f **chakh**matu
Oui, bien sûr.	**Да, конечно, играю.**	da kan**yè**chna igra**y**ou
Non, mais je jouerais bien aux dames.	**Нет, но мы могли бы сыграть в шашки.**	n**yè**t no mu ma**gl**yi bu sugrat' f **chach**ki
roi	**король**	karol'
reine	**ферзь**	f**yè**rss'
tour	**ладья**	lad'ya
fou	**слон**	slonn
cavalier	**конь**	konn'
pion	**пешка**	p**yè**chka
Jouez-vous aux cartes?	**Вы играете в карты?**	vu igra**ï**tyi v **k**artu

En Russie, les jeux de cartes populaires en Occident sont rarement connus. Mais le poker est un jeu très apprécié des intellectuels. Les Russes aiment jouer à la преферанс (pryi-fyi**rannss** – préférence), qui ressemble un peu au bridge. On n'a pas l'habitude de jouer dans les cafés, mais par contre, on joue souvent aux cartes à la plage ou lors d'un long voyage en train.

Jouez-vous à la préférence?	**Вы играете в пре-феранс?**	vu igra**y**ityi f pryifyi**rannss**
as	**туз**	touss
roi	**король**	karol'
dame	**дама**	**d**ama
valet	**валет**	val**yè**t
joker	**джокер**	**d**jok**y**èr

Sport

Si vous aimez beaucoup la natation, vous pouvez vous y adonner pendant toute l'année dans l'immense piscine à ciel ouvert et chauffée de Moscou. Les membres du Club de l'Ours Polaire qui prennent plaisir à nager dans la Moscova quand il gèle sont plus nombreux qu'on ne le pense. Pour arriver à leur fin, ils doivent faire des trous dans la glace.

La tradition russe de la баня (**ba**nya – sauna) n'est pas, à proprement parler un sport. Mais c'est un très bon moyen de remettre en forme corps et esprit. Des pierres brûlantes sont arrosées à intervalles réguliers, ce qui provoque une vapeur très chaude, insoutenable parfois. Puis les baigneurs nus se fouettent mutuellement avec des verges de bouleaux. Pour couronner le tout, on plonge rapidement dans un bac d'eau froide.

Où se trouve la piscine ?	Где плавательный бассейн?	gdyè **pla**vatyil'nuy basseïn
Est-elle chauffée ?	Вода подогревается?	vada padagryèvaïtsya
Où est la sauna la plus proche ?	Где ближайшая баня?	gdyè blyijaïchaya bannya
Puis-je laisser mes habits ici ?	Могу ли я здесь оставить одежду?	magou lyi ya zdyèss' astavit' adyèjdou
Donnez-moi une serviette, s.v.p.	Дайте мнѣ полотенце, пожалуйста.	daïtyi mnyè palatyèntsè pajalousta
Où se trouvent les courts de tennis ?	Где теннисная площадка?	gdyè **tè**nyisnaya plachtchyatka
Puis-je louer des raquettes ?	Можно взять ракетки напрокат?	mojna vzyat' rakyètki naprakat
Y a-t-il un terrain de de volley-ball ici ?	Есть ли здесь волей- больная площадка?	yèst' lyi zdyèss' valyibol'naya pla- chtchyatka
Pouvez-vous me pro- curer des billets ?	Нельзя ли достать несколько билетов?	nyil'**zya** lyi dastat' **nyè**skal'ka bilyètaf
Y a-t-il un bon endroit pour pêcher dans les environs ?	Где здесь можно поудить рыбу?	gdyè zdyèss' **mo**jna paou**dyit' ru**bou

A la plage

Peut-on nager sans danger?	Здесь не опасно плавать?	zdyèss' nyi apassna plavat'
Y a-t-il un maître nageur?	Есть ли здесь спасательная команда?	yèst' lyi zdyèss' spassatyil'naya kamannda
Est-ce sans danger pour les enfants?	Не опасно ли здесь для детей?	nyè apassna lyi zdyèss' dlya dyityeï
Il y a des grosses vagues.	Бывают большие волны.	buvayout bal'chuyè volnu
Y a-t-il des courants dangereux?	Есть ли опасные течения?	yèst' lyi apassnuyè tyitchyènyiya
Mieux vaut ne pas plonger ici.	Здесь лучше не нырять.	zdyèss' loutch'è nyi nuryat'
Quelle est la température de l'eau?	Какая температура воды?	kakaya tyimmpyiratoura vadu
Je voudrais louer...	Я хочу взять напрокат...	ya khatchyou vzyat' naprakat
chaise-longue	шезлонг	chèzlonng
parasol	зонтик	zonntyik
tente	тент	tyènt
skis nautiques	водные лыжи	vodnuyè luju
Où puis-je louer un...?	Где я могу взять напрокат...?	gdyè magou vzyat' naprakat
bateau à moteur	моторную лодку	matornouyou lotkou
bateau à rames	лодку	lotkou
canot	каноэ	kanoè
kayak	байдарку	baidarkou
pédalo	водяной велосипед	vadyinoï vyilasyipyèt
voilier	парусную лодку	paroussnouyou lotkou
Quel est le prix à l'heure?	Сколько это стоит в час?	skol'ka èta stoit f tchyass

---

КУПАТЬСЯ ВОСПРЕЩАЕТСЯ
BAIGNADE INTERDITE

Sports d'hiver

Le ski devient de plus en plus populaire en URSS. Si vous avez envie de vous adonner aux joies de ce sport pendant votre séjour en Union Soviétique, allez donc passer quelques jours dans une station d'hiver, dans le Caucase, par exemple. Les grands parcs de Léningrad et de Moscou (parcs Gorki, Sokolniki, et Izmaïlov) vous offrent la possibilité de faire de la luge, du patin à glace, des promenades en troïka et même du ski !

J'aimerais aller patiner.	Я хотел бы покататься на коньках.	ya khat**yèl** bu pakatat'sya na kann'**kakh**
Y a-t-il une patinoire dans les environs ?	Далеко ли каток?	daly**iko** lyi ka**tok**
J'aimerais louer des patins.	Я хочу взять коньки напрокат.	ya khat**chyou** vzyat' kann'**ki** napra**kat**
Est-il possible de skier dans le parc Sokolniki ?	В «Сокольниках» хорошая лыжня?	f sakol'nyikakh kharochaya luj**nya**
La neige est un peu mouillée.	Снег рыхловат.	snyèk rukhla**vat**
J'aimerais faire du ski de fond.	Я хотел бы пойти в лыжный поход.	ya khat**yèl** bu pait**yi** v luj**nuy** pakhot
Y a-t-il une école de ski ?	Есть там школа для начинающих?	yèst' tamm **chk**ola dlya natchin**a**youcht**chyikh**
Y a-t-il un remonte-pente ?	Есть ли подъемник?	yèst' lyi pa**dyomm**nyik
J'aimerais louer un équipement de ski.	Я хотел бы взять напрокат лыжный инвентарь.	ya khat**yèl** bu vzyat' napra**kat** luj**nuy** invènt**ar'**
Pouvez-vous m'aider avec la fixation ?	Помогите мне, пожалуйста, затянуть крепленье.	pamagit**yè** mny**è** pajalousta zatyan**out'** kryipl**yèn'**yè
Puis-je louer une luge ?	Можно взять напрокат сани?	**moj**na vzyat' napra**kat** **san**yi
Où peut-on faire un tour en troïka ?	Где можно покататься на тройке?	gdy**è** **moj**na pakatat'sya na tro**ïk**yè

Camping

Dans un pays comme l'URSS, où l'hôtel revient assez cher, la solution du camping permet de faire durer son argent quelque peu. Pour cela il faut posséder une voiture, car l'autostop ou les randonnées à bicyclette ne sont pas autorisés. A moins que vous ne vous rendiez en URSS avec votre propre véhicule il est possible de louer une voiture ou un mini-bus à la frontière. Quelle que soit la solution adoptée, vous devez préparer un itinéraire à l'avance.

Pouvons-nous camper ici?	Можно здесь устроить стоянку?	mojna zdyèss' oustroit' stayannkou
Où pouvons-nous camper cette nuit?	Где нам остановиться на ночь?	gdyè namm astanavit'sya nanatch'
Y a-t-il un terrain de camping près d'ici?	Есть ли здесь недалёко кемпинг?	yèst' lyi zdyèss' nyidalyoka kyèmpinng
A quelle distance sommes-nous de Smolensk?	Сколько ехать до Смоленска?	skol'ka yèkhat' da smalyènska
Est-ce la bonne route pour aller à Kalinine?	Это дорога на Калинин?	èta daroga na kalyinyinn
Pouvons-nous parquer ici?	Можно здесь поставить машину?	mojna zdyèss' pastavit' machunou
Où puis-je dresser ma tente?	Где можно поставить палатку?	gdyè mojna pastavit' palatkou
De quelles installations dispose-t-on?	Какие здесь удобства?	kakiyè zdyèss' oudopstva
J'aimerais louer une cabane.	Я хотел бы снять домик.	ya khatyèl bu snyat' domik
Peut-on faire du feu?	Можно разжечь костёр?	mojna razjètch' kastyor

---

ПИТЬЕВАЯ ВОДА   EAU POTABLE

ВОДА НЕ ДЛЯ ПИТЬЯ   EAU NON POTABLE

POUR L'EQUIPEMENT DE CAMPING, voir page 106

Intourist émet des coupons avec lesquels vous réglerez vos frais de camping. Les arrangements forfaitaires couvrent la location de la place pour votre tente (ou l'utilisation d'une cabane selon votre choix) ainsi que la redevance pour la voiture. Les Soviétiques apprécient beaucoup le camping et nombre d'entre eux louent voitures ou motos avec side-car pour passer leurs vacances. Vous pourrez manger au restaurant-bar de l'endroit ou utiliser les réchauds électriques qui sont à la disposition des campeurs. Chaque camping possède un magasin d'alimentation. La plupart d'entre eux ne sont ouverts que du 1er juin au 1er septembre.

Si vous n'avez pas de tente avec vous, il est généralement possible d'en louer une sur place pour un prix modique. Il en va de même pour les lits de camp, les matelas pneumatiques, les draps et les sacs de couchage. Les installations sanitaires, quoique sans grand luxe, sont bien aménagées, souvent avec l'eau chaude.

CAMPING – A LA CAMPAGNE

Quel est le tarif?	Сколько это стоит?	skol'ka èta stoit
Combien de coupons vous dois-je?	Сколько талонов я вам должен?	skol'ka talonaf ya vamm doljunn
Est-ce qu'on peut se servir du réchaud électrique?	Можно пользоваться электроплиткой?	mojna pol'zavatsya èlyètraplyitkaï
Où sont les lavabos?	Есть ли тут умы-вальник?	yèst' lyi tout oumuval'nyik
Où se trouve l'épicerie?	Где магазин?	gdyè magazinn
A quelle heure l'épicerie ouvre-t-elle?	Когда открывается магазин?	kagda atkruvayitsya magazinn
Peut-on manger au restaurant du camping?	Можно поесть в ресторане?	mojna payèst' v ryistaranyè
Est-ce qu'il y a des douches?	Есть ли здесь душ?	yèst' lyi zdyèss' douch
Avez-vous un fer à repasser?	Есть ли у вас утюг?	yèst' lyi ou vass outyouk

Points de repère

arbre	дерево	dyèryiva
auberge	гостиница	gastyinyitsa
bac	паром	paromm
bâtiment	здание	zdan'yè
bois	лес	lyèss
canal	канал	kanal
chaîne de montagnes	горная цепь	gornaya tsèp'
champ	поле	polyè
chaumière	дача	datchya
chute d'eau	водопад	vadapat
colline	холм	kholm
eau	вода	vada
église	церковь	tsèrkaf'
étang	пруд	prout
falaise	обрыв	abruf
ferme	ферма	fyèrma
fleuve	река	ryika
forêt	лес	lyèss
grange	амбар	ambar
hameau	деревня	dyiryèvnya
kolkhose	колхоз	kalkhoss
lac	озеро	ozyira
maison	дом	domm
marais	болото	balota
mare	заводь	zavat'
marécage	болото	balota
montagne	гора	gara
piste	просёлок	prassyolak
plantation	плантация	planntatsuya
pont	мост	most
puits	колодец	kalodyits
rivière	река	ryika
route	дорога	daroga
ruisseau	ручей	routchyeï
sentier	тропинка	trapinnka
sommet	пик	pyik
source	источник	istotch'nyik
steppe	степь	styèp
taïga	тайга	taïga
taillis	роща	rochtchya
vallée	долина	dalyina
vignoble	виноградник	vinagradnyik
village	село	syilo

Comment se faire des amis

Vous constaterez que de nombreux Soviétiques savent l'anglais; peu d'entre eux, par contre parlent le français. Cela n'empêchera pas les Russes de désirer parler avec vous. Ils sont aussi enchantés de connaître un «vrai» Français, Belge ou Suisse, que nous le sommes lorsque nous rencontrons des Russes authentiques.

Présentations

S'il vous arrive de devoir faire les présentations, rappelez-vous que les formules telles que: «Monsieur Durand», «Madame Durand», «Mademoiselle Durand» n'existent pas dans la langue russe de tous les jours. Il vous faut connaître le prénom et le patronyme (nom dérivé du prénom du père) de la personne à qui vous adressez la parole. Si, par exemple, un Russe se prénome Nicholaï, et que le prénom de son père est Ivan, on s'adressera à lui par *Nicholai Ivanovitch*. D'autre part, si une femme s'appelle Natalia et son père Ivan, on l'appellera *Natalia Ivanovna*.

Pour engager la conversation:

Bonjour.	**Здравствуйте.**	**zdra**stvouytyi
Comment allez-vous?	**Как дела?**	kak dyi**la**
Très bien, merci.	**Очень хорошо, спа-сибо.**	otchyinn' khara**cho** spassiba
Comment ça va?	**Как дела?**	kak dyi**la**
Très bien, merci. Et vous?	**Хорошо, спасибо. А у вас?**	khara**cho** spassiba. a ou vass

Nicholai Ivanovitch, voici...	Николай Иванович, это...	nyikalaï ivanavitch' èta
J'aimerais vous présenter un de mes amis.	Я хотел бы вас познакомить с одним из моих друзей.	ya khatyèl bu vass paznakomit' s adnyimm iz maïkh drouzyeï
Jean, voici...	Жан, это...	Jean èta
Je m'appelle...	Меня зовут...	myinya zavout
Je suis ravi de vous connaître.	Очень приятно.	otchyinn' priyatna
Enchanté.	Рад познакомиться.	rat paznakomitsya

Remarque: Lors de brèves rencontres, par exemple, lorsque vous demandez votre chemin à quelqu'un, faites usage de l'équivalent russe de «Monsieur», ou de «Madame».

Ainsi, vous pourrez dire: «Excusez-moi, *tovaritch.* Pouvez-vous me dire où se trouve le bus?» *Tovaritch* (camarade, prononcé ta**va**richtch') se dit aussi bien pour les hommes que pour les femmes. Quand vous vous adressez à une jeune fille, vous direz plutôt: «*Devouchka,* où se trouve le bus, s.v.p.?». Ce mot se prononce **di**èvouchka et signifie «jeune fille».

Pour rompre la glace

Depuis combien de temps êtes-vous ici?	Сколько вы уже здесь пробыли?	skol'ka vu oujè zdyèss' probulyi
Nous sommes ici depuis une semaine.	Мы тут уже неделю.	mu tout oujè nyidyèlyou
Est-ce votre premier séjour?	Вы в первый раз?	vu f pyèrvuy ras
Non, nous sommes déjà venus l'an dernier.	Нет, мы уже тут были в прошлом году.	nyèt mu oujè tout bulyi f prochlamm gadou
Est-ce que vous vous plaisez ici?	Вам тут нравится?	vamm tout nravitsya
Oui, j'aime beaucoup...	Да, мне...очень нравится.	da mnyè...otchyinn' nravitsya
Etes-vous seul(e)?	Вы одни?	vu adnyi

Je suis avec...	Я с...	ya s
mon mari	мужем	**mou**jyèmm
ma femme	женой	ju**noï**
ma famille	семьёй	syim'**yoï**
mes parents	родителями	ra**d**yityilyami
des amis	друзьями	drou**z**yami
D'où êtes-vous?	Вы откуда?	vu at**kou**da
De quelle région de... êtes-vous?	Вы из какой части...?	vu iss ka**koï** **tch**yastyi
Je viens de...	Я из...	ya iz
Habitez-vous ici?	Вы здесь живёте?	vu zdyèss' ju**vyo**tyi
Je suis étudiant.	Я студент.	ya stou**dyènt**
Qu'étudiez-vous?	Что вы изучаете?	chto vu izout**chaï**tyi
Nous sommes en vacances.	Мы здесь в отпуске.	mu zdyèss' v **ot**pouskyè
Je suis en voyage d'affaires.	Я здесь по делам.	ya zdyèss' pa dyi**lamm**
Dans quelle branche travaillez-vous?	Чем вы занимаетесь?	**tch**yèm vu zanyi**maï**tyiss'
J'espère que nous nous reverrons bientôt.	Надеюсь, мы скоро увидимся.	na**dyè**youss' mu s**ko**ra ou**vi**dyimmsya
Au revoir / A demain.	До скорого/До завтра.	da s**ko**rava/da **za**ftra
Nous nous reverrons sûrement.	Я уверен, что мы еще встретимся.	ya ouv**yè**ryèn chto mu yich**cht**'yo fst**ryè**tyimmssya

Le temps qu'il fait

Quelle belle journée!	Какой чудный день!	ka**koï** **tch**youdnuy dyèn'
Quel mauvais temps!	Какая ужасная погода.	ka**ka**ya ou**jass**naya pa**go**da
Qu'est-ce qu'il fait froid aujourd'hui!	Сегодня холодно, правда?	si**vo**dnya **kho**ladna **prav**da
Qu'est-ce qu'il fait chaud aujourd'hui!	Сегодня жарко, правда?	si**vo**dnya **jar**ka **prav**da
Est-ce qu'il fait toujours aussi chaud?	Тут всегда так жарко?	tout fsyig**da** tak **jar**ka

| Quel brouillard! | Сегодня сильный туман. | sivodnya syil'nuy toumann |
| Quelle température fait-il dehors? | Сколько на улице градусов? | skol'ka na oulyitsè gradoussaf |

Invitations

Ma femme et moi aimerions vous inviter à dîner...	Мы с женой хотим пригласить вас на ужин в...	mu s junoï khatyimm priglassyit' vass na oujunn v
Pouvez-vous venir dîner demain soir?	Могли бы вы поужинать с нами завтра?	maglyi bu vu paoujunat' s namyi zaftra
Nous donnons une petite réception demain soir. J'espère que vous serez des nôtres.	У нас завтра вечером гости. Я надеюсь, что вы придёте.	ou nass zaftra vyètchyiramm gostyi. ya nadyèyouss' chto vu pridyotyi
Viendrez-vous prendre un verre ce soir?	Не зайдёте ли вечером на коктейль?	nyi zaïdyotyi lyi vyètchyiramm na kaktyeïl'
Il y a une soirée, viendrez-vous?	Будут гости. Вы придёте?	boudout gostyi. vu pridyotyi
C'est très aimable à vous.	Большое спасибо.	bal'choyè spassiba
Formidable, je viendrai avec plaisir.	Замечательно! Приду с удовольствием.	zamyitchatyil'na! pridou s oudavol'stvyèmm
A quelle heure faut-il venir?	В котором часу нам прийти?	f katoramm tchyissou namm priytyi
Puis-je amener un ami?	Можно привести приятеля?	mojna privyistyi priyatyilya
J'ai bien peur qu'il nous faille déjà partir.	Пожалуй, нам пора.	pajalousta namm para
La prochaine fois, ce sera à vous de nous rendre visite.	В следующий раз вы должны нас навестить.	f slyèdouyouchtchyiy ras vu daljnu nass navyistyit'
Merci pour cette agréable soirée.	Спасибо большое за приятный вечер.	spassiba bal'choyè za priyatnuy vyètchyir
Merci pour la soirée. C'était formidable.	Спасибо. Было замечательно!	spassiba. bula zamyitchyatyil'na

Les rendez-vous

Voulez-vous une cigarette?	Не хотите ли сигарету?	nyi khatyityè lyi sigaryètou
Avez-vous du feu, s.v.p.?	Нет ли у вас спичек?	nyèt lyi ou vass spitchyèk
Puis-je vous offrir un verre?	Хотите что-нибудь выпить?	khatyityè chtonyibout' vupit'
Excusez-moi, pouvez-vous m'aider?	Простите, вы бы не могли мне помочь?	prastyityè vu bu nyi maglyi mnyè pamotch'
Je me suis égaré. Pouvez-vous me montrer le chemin de...?	Я заблудился. Не покажете ли мне дорогу к...?	ya zabloudyilssya. nyi pakajutyi lyi mnyè darogou k
J'ai l'impression de vous avoir déjà rencontrée.	Мне кажется мы уже встречались.	mnyè kajètsya mu oujè fstritchyalyiss'
Attendez-vous quelqu'un?	Вы кого-нибудь ждёте?	vu kavonyibout' jdyotyi
Etes-vous libre ce soir?	Вы не заняты сегодня вечером?	vu nyi zanyatu sivodnya vyètchyiramm
Voulez-vous sortir avec moi ce soir?	Хотите, пойдём куда-нибудь сегодня вечером?	khatyityi païdyomm kouda nyibout' sivodnya vyètchyiramm
Aimeriez-vous aller danser?	Не хотите ли потанцевать?	nyi khatyityi lyi patanntsuvat'
Je connais un bon restaurant.	Я знаю хороший ресторан.	ya znayou kharochuy ryistarann
Nous pourrions aller au cinéma.	Давайте пойдём в кино.	davaïtyi païdyomm f kino
Aimeriez-vous faire un tour en voiture?	Не хотите ли покататься на машине?	nyi khatyityi lyi pakatatsya na machunyè
Cela me ferait plaisir merci.	С удовольствием, спасибо.	s oudavol'stviyèm spassiba
Où nous retrouverons-nous?	Где мы встретимся?	gdyè mu fstryètyimmsya
Je viendrai vous prendre à votre hôtel.	Я зайду за вами в гостиницу.	ya zaïdou za vami v gastinyitsou

Je viendrai vous chercher à 8 heures.	Я зайду за вами в восемь часов.	ya zaidou za vami v vosyimm tchyissof
Puis-je vous raccompagner?	Можно вас проводить домой?	mojna vass pravadyit' damoï
Puis-je vous revoir demain?	Мы завтра встретимся?	mu zaftra fstryètyimmsya
Merci, j'ai passé une merveilleuse soirée.	Спасибо, я провёл чудесный вечер.	spassiba ya pravyol tchyoudyèsnuy vyètchyir
Je me suis follement amusé.	Я получил громадное удовольствие!	ya paloutchyil gramadnayè oudavol'stviyè
Quel est votre numéro de téléphone?	Какой у вас номер телефона?	kakoï ou vass nomyir tyèlyèfona
Habitez-vous chez vos parents?	Вы живёте с родителями?	vu juvyotyi s radyityilyami
Habitez-vous seul(e)?	Вы живёте одни?	vu juvyotyi adnyi
A quelle heure est votre dernier train?	Когда ваш последний поезд?	kagda vach paslyèdniy poist

Guide des achats

Ce guide vous aidera à trouver aisément et rapidement ce que vous désirez. Il comprend :

1. une liste des boutiques, magasins et services les plus importantes ;
2. quelques expressions d'ordre général, qui vous seront nécessaires pour choisir et acheter avec discernement ;
3. tous les détails sur les magasins et services auxquels vous aurez probablement à faire. Vous trouverez ces conseils ainsi qu'une liste alphabétique des articles sous les titres suivants :

Magasins, boutiques, services

Si vous avez une idée assez claire de ce que vous voulez acheter, accordez-vous quelques minutes de réflexion avant d'aller faire vos courses. Cherchez la rubrique correspondante, choisissez l'article et trouvez-en une description appropriée (couleur, tissu, etc.).

Les épiceries ouvrent généralement à 8 heures du matin et ferment à 21 heures. La plupart des autres magasins sont fermés à 20 h. Seules les épiceries sont ouvertes tous les jours de la semaine. Pour avoir un aperçu de la vieille Russie, allez au рынок (**ru**nak – marché en plein air). Une visite au GUM (Grands Magasins) ou au nouveau magasin d'Etat MOSKVA (sur le Leninsky Prospekt) vous permettra d'observer une société de consommation dans sa première phase de développement. Enfin, faites un saut au комиссионный магазин (kamissy**o**nnuy maga**zinn** – magasins d'occasions), cela en vaut la peine.

Où est... le/la plus proche?	Где ближайший ...?	gdyè blyijaïchuy
banque	банк	bannk
bijouterie	ювелирный магазин	youvyi**ly**irnuy maga**zinn**
blanchisserie	прачечная	prat**ch**yèchnaya
boucherie	мясной магазин	myasno**ï** maga**zinn**
boulangerie	булочная	bou**la**chnaya
bureau de tabac	табачный магазин	ta**ba**tch'nuy maga**zinn**
chapellerie	магазин головных уборов	maga**zinn** ga**la**vnukh ou**bo**raf
coiffeur (pour dames)	дамская парик- махерская	**damm**skaya parik- **ma**khirskaya
coiffeur (pour hommes)	парикмахерская	parik**ma**khirskaya
confiserie	кондитерская	kann**dy**ityirskaya
cordonnier	ремонт обуви	ryè**monn**t obouvyi
couturière	ателье дамского платья	atèl'**yè damm**skava **plat**'ya
dentiste	зубной врач	zoubno**ï** vratch'
épicerie	бакалея	bakal**yè**ya
fleuriste	цветочный магазин	tsvyi**totch**'nuy maga**zinn**
fourreur	меховой магазин	myè**kha**vo**ï** maga**zinn**
galerie d'art	картинная галерея	kar**ti**nnaya gal**yè**ryè**ya**

grand magasin	универмаг	ounyivyèrmak
hôpital	больница	bal'nyitsa
horlogerie	часовая мастерская	tchyassavaya mastyirskaya
laiterie	молочная	malochnaya
librairie	книжный магазин	knijnuy magazinn
magasin d'antiquités	антикварный магазин	anntyikfarnuy magazinn
magasin de chaussures	магазин обуви	magazinn abouvi
magasin de jouets	магазин игрушек	magazinn igrouchek
magasin de journaux	газетный киоск	gaziètnuy kiosk
magasin philatélique	магазин марок	magazinn marak
magasin de photo	магазин фототоваров	magazinn fotatavaraf
magasin de primeurs	овощной магазин	avachch'noï magazinn
magasin de souvenirs	магазин сувениров	magazinn souvvènyiraf
marchand de poissons	рыбный магазин	rubnuy magazinn
marché	рынок	runak
médecin	врач	vratch'
modiste	ателье дамских	atèl'yè dammskikh
	шляп	chlyap
négociant en vins	винный магазин	vinnuy magazinn
opticien	изготовленье и	izgatavlèn'yè i pradaja
	продажа очков	atchkof
pâtisserie	кондитерская	kanndyityirskaya
pharmacie	аптека	aptyèka
photographe	фотография	fatagrafiya
poste	почта	potch'ta
poste de police	отделение милиции	atdyilyènyè milyitsui
quincaillerie	скобяной магазин	skabyanoï magazinn
salon de beauté	косметический	kasmyityitchyiskiy
	кабинет	kabinyèt
station d'essence	заправочная	zapravatch'naya
	станция	stanntsiya
tailleur	ателье мод	atèl'yè mot
teinturerie	химчистка	khimmtchyistka
traiteur	гастроном	gastranomm
vétérinaire	ветеринар	vyètyèrinar

Expressions générales

Voici quelques expressions qui vous seront utiles lors de vos achats.

Où?

Où y a-t-il un bon/ une bonne...?	Где хороший...?	gdyè kharochuy
Où est... le plus proche?	Где ближайший...?	gdyè blyijaïchuy
Où puis-je trouver...?	Где мне найти...?	gdyè mnjè naïtyi
Pouvez-vous me recommander un... bon marché?	Могли бы вы мне посоветовать дешёвый...?	maglyi bu vu mnyè pasavyètavat' dyichovuy
Où se trouve le centre commercial?	Где главный торговый центр?	gdyè glavnuy targovuy tsyèntr
Comment puis-je m'y rendre?	Как мне туда попасть?	kak mnyè touda papast'

Services

Pourriez-vous m'aider?	Будьте добры!	bout'tyi dabru
Je ne fais que regarder.	Я только смотрю.	ya tol'ka smatryou
Je désire...	Я хочу...	ya khatchyou
Pourriez-vous me montrer...?	Покажите мне, пожалуйста...	pakajutyi mnyè pajalousta
Avez-vous...?	Есть ли у вас...?	yèst' lyi ou vass

Celui-là/Celle-là

Pourriez-vous me montrer...?	Покажите мне, пожалуйста,...	pakajutyi mnyè pajalousta
celui-là/ceux-là	этот/те	ètot/tyè
celui qui est dans la vitrine	тот в витрине	tot v vitrinnyè
celui qui est à l'étalage	тот, который выставлен	tot katoruy vustavlyèn
C'est là-bas.	Это там.	èta tamm

Choix de l'article

Je désire un...	Я хотел бы...	ya khatyèl bu
J'en aimerais un...	Я хочу...	ya khatchyou
bon	хороший	kharochuy
bon marché	дешёвый	dyichovuy
carré	квадратный	kvadratnuy
clair	светлый	svyètluy
foncé	тёмный	tyomnuy
grand	большой	bal'choï
large	крупный	kroupnuy
léger	лёгкий	lyokhkiy
lourd	тяжёлый	tyijoluy
ovale	овальный	aval'nuy
petit	маленький	malyinn'kiy
rectangulaire	прямоугольный	pryamaougol'nuy
rond	круглый	krougluy
Je ne voudrais pas quelque chose de trop cher.	Я не хочу ничего слишком дорогого.	ya nyi khatchyou nyitchyivo slichkamm daragova

Préférences

Pouvez-vous m'en montrer d'autres?	Покажите мне, пожалуйста, ещё.	pakajutyi mnyè pajalousta yichtchyo
N'avez-vous rien de...	Есть ли у вас что-нибудь...	yèst' lyi ou vass chtonyibout'
meilleur marché/mieux plus grand/plus petit	подешевле/получше побольше/поменьше	padyichèvlyi/paloutchchè pabol'chè/pamyèn'chè

Combien?

Combien coûte ceci?	Сколько это стоит?	skol'ka èta stoit
Je ne comprends pas. Pourriez-vous l'écrire s.v.p.?	Я не понимаю. Напишите это, пожалуйста.	ya nyi panyimayou. napichutyi èta pajalousta
Je ne veux pas dépenser plus de... roubles.	Я не хочу истратить больше... рублей.	ya nyi khatchyou istratyit' bol'chè... roublyeï

POUR LES COULEURS, voir page 116

GUIDE DES ACHATS

Décision

C'est exactement ce que je désire.	Это как раз то, что я хочу.	èta kak ras to chto ya khatchyou
Ce n'est pas exactement ce que je veux.	Это не совсем то, что я хочу.	èta nyi safsyèm to chto ya khatchyou
Non, cela ne me plaît pas.	Нет, мне это не нравится.	nyèt mnyè èta nyi nravitsya
Je le prends.	Я это возьму.	ya èta vaz'mou

Commande

Pourriez-vous me le commander?	Будьте добры, закажите.	bout'tyi dabru zakajutyi
Combien de temps cela prendra-t-il?	Сколько это займёт?	skol'ka èta zaimyot
Je l'aimerais aussi rapidement que possible.	Как можно быстрее, пожалуйста.	kak mojna bustryèyè pajalousta
Aurai-je des difficultés avec la douane?	Будут ли у меня трудности на таможне?	boudout lyi ou myinya troudnastyi na tamojnyè

Paiement

Combien vous dois-je?	Сколько это стоит?	skol'ka èta stoìt
Puis-je payer avec un chèque de voyage?	Вы берёте дорожные чеки?	vu byiryotyi darojnuyè tchyèki
Acceptez-vous les cartes de crédit?	Вы берёте кредитные карточки?	vu byiryotyi kryèdyitnuyè kartatch'ki
N'y a-t-il pas une erreur dans la facture?	Вы не ошиблись в счёте?	vu nyè achublyiss' f chtchyotyè
Puis-je avoir une quittance, s.v.p.?	Будьте добры, чек.	bout'tyi dabru tchyèk
Pourriez-vous l'emballer?	Заверните, пожалуйста.	zavyirnyityi pajalousta
Avez-vous un sac en papier?	Есть ли у вас сумка?	yèst' lyi ou vass soumka

Encore quelque chose?

Non merci, ce sera tout.	Нет, спасибо, это всё.	nyèt spassiba èta fsyo
Voyons, j'aimerais...	Дайте мне подумать. Я хотел бы...	daïtyi mnyè padoumat'. ya khatyèl bu
Oui, je voudrais.../ Montrez-moi...	Да, я хочу.../Покажите мне...	da ya khatchyou.../ pakajutyi mnyè
Merci. Au revoir.	Спасибо. До свидания.	spassiba. da svidanya

Réclamations

Pourriez-vous échanger ceci?	Нельзя ли это обменять?	nyèl'zya lyi èta abmyinyat'
Je voudrais rendre ceci.	Я хочу это возвратить.	ya khatchyou èta vazvratyit'
Je voudrais être remboursé. Voici la quittance.	Я хотел бы получить деньги обратно. Вот чек.	ya khatyèl bu paloutchyit' dyèn'gi abratna. vot tchyèk

Пожалуйста, слушаю вас.	Puis-je vous être utile?
Что бы вы хотели?	Que désirez-vous?
Какой ... вы хотите?	Quelle... désirez-vous?
цвет/размер качество/количество	couleur/forme qualité/quantité
Извините, этого у нас нет.	Je suis désolé(e), nous n'en avons pas.
Всё распродано.	Notre stock est épuisé.
Заказать для вас?	Faut-il vous le commander?
... рублей, пожалуйста.	Cela fera... roubles, s.v.p.
Касса там.	La caisse se trouve là-bas.

Appareils électriques et accessoires – Disques

Le voltage est généralement de 220 volts, mais vous trouverez tout de même du 110 ou 120 volts dans certaines régions d'URSS. Les prises occidentales sont souvent différentes de celles utilisées en URSS, mais la plupart des hôtels possèdent des installations électriques adaptées à nos prises.

Si vous comptez voyager à l'intérieur du pays, munissez-vous d'une prise d'adaptation pour vos appareils électriques, car celles-ci sont difficiles à trouver en Union Soviétique.

Quel est le voltage ?	Какое здесь напряжение?	kakoyè zdyès' napryijènyiyè
Je voudrais une prise pour...	Дайте мне, пожалуйста, вилку для...	daïtyi mnyè pajalousta vyilkou dlya
Avez-vous une batterie pour ceci ?	Есть ли у вас батарейка для...	yest' lyi ou vass bataryeïka dlya
Cet objet est cassé, pouvez-vous le réparer ?	Это не работает. Можно починить?	èta nyi rabotaït. mojna patchinyit'
Quand est-ce que ce sera prêt ?	Когда будет готово?	kagda boudyèt gatova
Je voudrais...	Дайте мне, пожалуйста...	daïtyi mnyè pajalousta
amplificateur	усилитель	ousilyityèl'
bouilloire	чайник	tchyaïnyik
fer à repasser	утюг	outyouk
fer de voyage	дорожный утюг	darojnu outyouk
filtre à café	кофеварку	kafyivarkou
haut-parleurs	динамики	dyinamyiki
horloge	часы	tchyisou
magnétophone	магнитофон	maghnyitafonn
magnétophone à cassettes	кассетный магнитофон	kassyètnuy maghnyitafonn
magnétophone portatif	портативный магнитофон	partatyivnuy maghnyitafonn
mixer	миксер	miksyèr
pile	батарейку	bataryeïkou
prise électrique	вилку	vyilkou
prise complémentaire	переходную розетку	pyiryikhodnouyou razyètkou

poste de radio	приёмник	pryi**yomm**nyik
radio portative	**портативный**	parta**tyiv**nuy
	приёмник	priy**omm**nyik
rasoir électrique	электробритву	èlyèktra**brit**vou
sèche-cheveux	сушилку для волос	souchou**kou** dlya va**loss**
téléviseur	телевизор	tyèlyè**vizar**
tourne-disque	проигрыватель	praïgruvatyèl'
transformateur	трансформатор	trannsfar**matar**

Disques

Avez-vous des disques de...?	Есть ли у вас пластинки...?	yèst' lyi ou vass plas**tyinn**ki
Puis-je écouter ce disque?	Можно послушать эту пластинку?	mojna pas**louchat'** ètou plas**tyinn**kou
Je voudrais une cassette.	Дайте мне кассету.	**daï**tyi mnyè ka**syè**tou
Je voudrais un nouveau saphir.	Мне нужна новая игла.	mnyè **nouj**na novaya igla

musique classique	классическая музыка	klassitch**yèskaya mouzuka**
musique folklorique	народная музыка	narodnaya **mouzuka**
musique instrumentale	инструментальная музыка	innstroumyèn**tal'naya mouzuka**
jazz	джаз	djaz
musique légère	лёгкая музыка	**lyokh**kaya **mouzuka**
musique symphonique	оркестровая музыка	arkè**strovaya mouzuka**
musique pop	« поп »-музыка	pop-**mouzuka**

Les Russes apprécient beaucoup la musique et vous leur ferez un immense plaisir en leur offrant un disque de votre pays. Quant à vous, profitez d'acheter sur place quelques disques de leur musique classique, légère ou folklorique que vous obtiendrez à des prix avantageux.

Bijouterie – Horlogerie

Le cours officiel du rouble rend difficiles les bonnes affaires en Union Soviétique.

Questions

Pouvez-vous réparer cette montre?	Вы могли бы починить эти часы?	vu maglyi bu patchyinyit' ètyi tchyissu
Le... est cassé.	...сломано.	... slomana
verre/ressort/ bracelet	стекло/пружина/ ремешок	styiklo/proujuna/ ryimyichok
Je voudrais faire nettoyer cette montre.	Эти часы надо почистить.	ètyi tchyissu nada patch'istyit'
Quand sera-t-elle prête?	Когда они будут готовы?	kagda anyi boudout gatovu
Pourrais-je voir ceci, s.v.p.?	Покажите это, пожалуйста.	pakajutyi èta pajalousta
Je ne fais que regarder.	Я просто смотрю.	ya prosta smatryou
Je désire un petit cadeau.	Мне нужно купить подарок.	mnyè noujna koupit' padarak
Je ne veux pas quelque chose de trop cher.	Ничего слишком дорогого.	nyitchyivo slyichkamm daragova
Je voudrais quelque chose...	Я хочу, что-нибудь...	ya khatchyou chtonyibout'
de mieux/de meilleur marché/de plus simple	получше/подешевле/ попроще	paloutchch'è/padyichèvlyè/paprochtch'è
Est-ce de l'argent véritable?	Это настоящее серебро?	èta nastayachtch'yèyè syèryibro
Avez-vous quelque chose en or?	Есть ли у вас золотые вещи?	yèst' yli u vass zalatuyè vyèchch'yi

Si c'est en or, demandez:

Combien de carats y a-t-il?	Сколько здесь каратов?	skol'ka zdyès' karataf

Avant de vous rendre chez le bijoutier, vous savez sans doute plus ou moins ce que vous désirez. Vous trouverez les noms russes des différentes matières et articles dans les listes suivantes.

En quelle matière est-ce?

acier inoxydable	нержавеющая сталь	nyirjav**yè**youtchtch'- yaya stal'
ambre	янтарь	yann**tar'**
améthyste	аметист	amy**èty**ist
argent	серебро	s**yè**ryibro
chrome	хром	khromm
corail	коралл	ka**ral**
cristal	хрусталь	khrou**stal'**
cuivre	медь	my**èt'**
diamant	бриллиант	bryil'**yann**t
ébène	чёрное дерево	**tch**yornaya dy**è**ryèva
émail	эмаль	**è**mal'
émeraude	изумруд	izoum**rout**
ivoire	слоновая кость	slanovaya kost'
jade	гагат	ga**gat**
onyx	оникс	a**ny**iks
or	золото	**zo**lata
perle	жемчуг	j**è**mtchyouk
plaqué or	позолота	paza**lo**ta
platine	платина	**pla**tyina
rubis	рубин	rou**by**inn
saphir	сапфир	sap**fir**
topaze	топаз	ta**paz**
turquoise	бирюза	byir**you**za
verre	стекло	sty**i**klo

Qu'est-ce que c'est?

Je voudrais...	Я хотел бы купить...	ya khaty**èl** bu kou**pit'**
argenterie	столовое серебро	stalovay**è** s**yè**ryibro
bague	кольцо	kal'**tso**
alliance	обручальное кольцо	abrout**chyal'**nay**è** kal'**tso**
bague de fiançailles	обручальное кольцо	abrout**chyal'**nay**è** kal'**tso**
chevalière	кольцо с печаткой	kal'**tso** ss pyi**tchya**tka**ï**

bracelet	браслет	braslyèt
bracelet-chaîne	цепочку	tsèpotch'tchkou
bracelet de cuir	кожаный ремешок	kojannuy ryimyichok
bracelet de montre	ремешок для часов	ryimyichok dlya tchyissof
breloque	брелок	bryèlok
briquet	зажигалку	zajugalkou
boucles d'oreilles	серьги	syèr'ghi
bouton de col	запонку	zapannkou
boutons de manchettes	запонки для манжет	zapannki dlya mannjèt
broche	брошь	broch
chaînette	цепочку	tsèpotch'kou
clip	клипс	klyips
coffret à bijoux	футляр	foutlyar'
collier	ожерелье	ojuryèl'yè
couverts	ложки, вилки, ножи	lojki vilkyi naju
croix	крестик	kryès'tyik
épingle	булавку	boulafkou
épingle à cravate	булавку для галстука	boulafkou dlya galstouka
étui à cigarettes	портсигар	partsigar
gourmette	цепочку	tsèpatch'kou
icône	икону	ikonou
montre	часы	tchyissu
montre-bracelet	наручные часы	naroutch'nuyè tchyissu
montre de gousset	карманные часы	karmannnuyè tchyissu
montre avec trotteuse	с секундной стрелкой	ss syikounndnaï stryèlkaï
pendentif	кулон	koulonn
pendule	настольные часы	nastol'nuyè tchyissu
perles	бусы	boussu
poudrier	пудреницу	poudryènyitsou
réveil	будильник	boudyil'nyik
tabatière	табакерку	tabakyèrkou
trousse de beauté	сумочку	soumatch'kou

Blanchisserie – Teinturerie

La responsable d'étage, dont le bureau se trouve en général à côté de l'ascenseur, s'occupera de votre linge. Si l'hôtel où vous demeurez n'a pas son propre service de blanchisserie et de teinturerie, demandez à la réception :

Où se trouve la blanchisserie la plus proche ?	Где ближайшая прачечная?	gdyè blyijaïchaya pratchyichnaya
Je voudrais faire... ces vêtements.	Эти вещи надо...	ètyi vyèchch'yi nada
nettoyer	почистить	patchyistyit'
repasser à la vapeur	отутюжить	atoutyoujut'
repasser	погладить	pagladyit'
laver	выстирать	vustyirat'
Quand seront-ils prêts ?	Когда будет готово?	kagda boudyit gatova
Il me les faut...	Мне нужно...	mnyè noujna
aujourd'hui	сегодня	sivodnya
ce soir	сегодня вечером	sivodnya vyètchyiramm
demain	завтра	zavtra
avant vendredi	до пятницы	da pyatnyitsou
Pouvez-vous... ceci ?	Можно ли это...?	mojna lyi èta
raccommoder/ rapiécer/recoudre	заштопать/залатать/ зашить	zachtopat'/zalatat'/ zachut'
Pouvez-vous coudre ce bouton ?	Пришейте, пожалуйста, пуговицу.	pricheïty pajalousta pougavitsou
Pouvez-vous ôter cette tache ?	Можно вывести это пятно?	mojna vuvièstyi èta pyatno
Pouvez-vous faire stopper ceci ?	Можно сделать косметическую штопку?	mojna zdyèlat' kasmyètyitchyèskouyou chtopkou
Ce n'est pas à moi.	Это не моё.	èta nyi mayo
Ce vêtement a un trou.	Тут дырка.	tout durka
Où est mon linge ? Vous me l'aviez promis pour aujourd'hui.	Где моё бельё? Вы мне обещали, что будет готово сегодня.	gdyè mayo byilyo. vu mnyè abyichtch'yalyi chto boudyit gatova sivodnya

Bureau de tabac

La plupart des Russes fument encore les папиросы (papirossu). Ces cigarettes sont deux fois plus épaisses que les nôtres, mais elles sont vides jusqu'à mi-longueur. Elles sont généralement très fortes. *Belomore* en est une marque populaire. On trouve aussi des cigarettes plus douces dont les emballages rappellent les nôtres. Si vous voulez goûter des cigarettes de production soviétique, demandez un paquet de *Stolitchnuyè* ou de *Yava*. Vous ne trouverez de véritables cigarettes occidentales que dans les magasins où l'on paie en devises.

Donnez-moi..., s.v.p.	Дайте мне, пожалуйста, ...	daïtyi mnyè pajalousta
allumettes	спички	spitch'ki
blague à tabac	кисет	kissyèt
boîte de...	коробку ...	karopkou
briquet	зажигалку	zajugalkou
cigare	сигару	sigarou
fume-cigarette	мундштук	moundchtouk
mèche	фитиль	fityil'
paquet de...	пачку ...	patch'kou
paquet de cigarettes	пачку сигарет	patch'kou sigaryèt
pierres à briquet	кремни	kryèmnyi
pipe	трубку	troupkou
porte-cigarettes	портсигар	partsigar
tabac pour la pipe	трубочный табак	troubatch'nuy tabak
Avez-vous...?	Есть ли у вас ...?	yèst' lyi ou vass
cigarettes américaines	американские сигареты	amyiryikannskiyè sigaryètu
cigarettes anglaises	английские сигареты	annglyiskiyè sigaryètu
cigarettes françaises	французские сигареты	franntsouskiyè sigaryètu
cigarettes mentholées	сигареты с ментолом	sigaryètu z myèntolamm
Je voudrais une cartouche.	Я возьму блок.	ya vaz'mou block

| avec filtre | с фильтром | ss fil'tramm |
| sans filtre | без фильтра | byèss fil'tra |

Puisque nous parlons cigarettes, supposons que vous désiriez en offrir une :

Voulez-vous une cigarette ?	**Не хотите ли сигарету?**	nyi kha**ty**ityè lyi sigary**è**tou
Prenez une des miennes.	**Пожалуйста, мои.**	pajalousta maï
Essayez celles-ci.	**Попробуйте мои.**	pa**pro**bouytyè maï
Elles sont très douces.	**Они очень слабые.**	anyi otchyinn' **sla**buyè
Elles sont un peu fortes.	**Они крепкие.**	anyi kry**è**pkiyè

Et si l'on vous en offre une :

Merci.	**Спасибо.**	spas**si**ba
Non merci.	**Нет, спасибо.**	nyèt spas**si**ba
Je ne fume pas.	**Я не курю.**	ya nyi kour**you**
Je ne fume plus.	**Я бросил курить.**	ya **bro**ssil kou**rit'**

Camping

Voici quelques articles dont vous pourriez avoir besoin.

Je voudrais...	Я хотел бы купить...	ya khatyèl bu koupit'
allumettes	спички	spitch'ki
articles de pêche	рыболовные снасти	rubalovnuyè snastyi
bougies	свечи	svyètchki
bouilloire	чайник	tchyaïnyik
boussole	компас	kommpass
canif	перочинный ножик	pyiratchyinnuy nojuk
casserole	кастрюлю	kastryoulyou
chaise	стул	stoul
chaise longue	шезлонг	chèzlongh
chaise pliable	складной стул	skladnoï stoul
ciseaux	ножницы	nojnyitsu
cocotte-minute	герметическую кастрюлю	ghyèrmyètyitchyèskouyou kastryoulyou
corde	верёвку	vyèryofkou
couverts	ножи, вилки, ложки	naju vilki lojki
équipement de camping	оборудование для лагеря	abaroudavanyè dlya laghyirya
gaz butane	газ в баллонах	gass v balonakh
glacière	пузырь для льда	pouzur' dlya l'da
gourde	бак для воды	bak dlya vadu
hache	топор	tapor
hamac	гамак	gamak
kérosène	керосин	kyirassinn
lampe	лампу	lammpou
lampe de poche	карманный фонарик	karmannuy fanarik
lanterne	фонарь	fanar'
lit de camp	складную кровать	skladnouyou kravat'
marmite	кастрюлю	kastryoulyou
marteau	молоток	malatok
mât de tente	палаточный столб	palatatch'nuy stolp
matelas	матрас	matrass
moustiquaire	сетку от комаров	syètkou at kamarof
musette	сумку с лямкой	soumkou s lyammkoï
ouvre-bouteilles	открывалку для бутылок	atkruvalkou dlya boutulak
ouvre-boîtes	консервный нож	kannsyèrvnuy noj
pinces, pincettes	клещи	klyèchtchyi
piquets de tente	палаточные колышки	palatatch'nuyè koluchki
poêle à frire	сковородку	skavarotkou
réchaud	печку	pyètchkou
réchaud à alcool	примус	primouss

sac à dos	рюкзак	ryoukzak
sac de couchage	спальный мешок	spal'nuy myichok
sac de montagne	рюкзак	ryoukzak
seau	ведро	vyidro
table	стол	stol
table pliante	складной стол	skladnoï stol
tapis de sol	подстилку под палатку	patstilkou pat palatkou
tente	палатку	palatkou
thermos	термос	tèrmass
tire-bouchon	штопор	chtopar
tournevis	отвертку	atvyortkou
trousse à outils	набор инструментов	nabor innstroumyèntaf
trousse de premiers secours	набор «первая помощь»	nabor pyèrvaya pomochtch'
vaisselle	посуду	passoudou

Vaisselle

assiettes	тарелки	taryèlki
boîte à provisions	коробка для еды	karopka dlya yèdu
gobelets	кружки	kroujki
soucoupes	блюдца	blyouttsa
tasses	чашки	tchyachki

Couverts

couteaux	ножи	naju
couteaux à dessert	десертный нож	dyèsyèrtnuy noj
cuillères	ложки	lojki
cuillères à café	чайные ложки	tchyaïnuyè lojki
(en) plastique	пластмасса	plastmassa
(en) acier inoxydable	нержавеющая сталь	nyirzavyèyouchtch'yaya stal'
fourchettes	вилки	vilki

Chez le coiffeur (pour dames)

Puis-je prendre rendez-vous pour jeudi ?	Можно ли условиться на вторник?	mojna lyi ouslovit'sya na ftornyik
Je voudrais une coupe et mise en plis.	Пожалуйста, постригите и причешите.	pajalousta pastrighityi i pritchyichutyi
avec une frange	с челкой	ss tchyolkaï
style page	под мальчика	pad mal'tchika
une coupe au rasoir	бритвой	britvaï
avec des boucles	с локонами	s lokanami
avec des ondulations	с завивкой	s zavifkaï
Je voudrais...	Сделайте мне, пожалуйста,...	zdyèlaïtyi mnyè pajalousta
décoloration	обесцвечивание	abyistsvyètchivaniyè
même couleur	тот же самый цвет	tot jè samuy tsvyèt
permanente	перманент	pyèrmanyènt
retouche	оттенок	attyènak
shampooing colorant	оттеночное полоскание	attyènatchnoyè palaskanyiyè
teinte plus claire	светлее	svyètlyèyè
teinte plus foncée	темнее	tyimmnyèyè
teinture	окраску	akraskou
châtain/blond/brun	каштанового цвета/ под блондинку/ под брюнетку	kachtanavava tsvyèta/ pad blanndyinnkou/ pad bryounyètkou
Avez-vous une tabelle des coloris?	Есть ли у вас таблица цветов?	yèst' lyi ou vass tablyitsa tsvyitof
Je ne veux pas de laque.	Лака не нужно.	laka nyi noujna
Je voudrais un/une...	Сделайте мне, пожалуйста,...	zdyèlaïtyi mnyè pajalousta
manucure/pédicure/ masque de beauté	маникюр/педикюр/ косметическую маску	manyikyour/pyidyikyour/ kasmyityitchyiskouyou maskou

POUR LES POURBOIRES, voir page 1

Chez le coiffeur (pour hommes)

En Union Soviétique, vous trouverez souvent des coiffeuses dans les salons pour messieurs. Bien que les coupes de cheveux varient passablement, les cheveux longs sont encore considérés comme trop «étrangers».

Je ne parle pas bien le russe.	Я плохо говорю по-русски.	ya plokha gavaryou pa-rouski
Une coupe de cheveux, s.v.p.	Постригите, пожа-луйста.	pastrighityi pajalousta
Faites-moi la barbe, s.v.p.	Побрейте, пожа-луйста.	pabryeiti pajalousta
Court/assez long s.v.p.	Постригите коротко/Оставьте подлиннее.	pastrighityi koratka/astaftyè padlyinyèyè
Aux ciseaux seulement, s.v.p.	Только ножницами, пожалуйста.	tol'ka nojnyitsami pajalousta
Une coupe au rasoir, s.v.p.	Бритвой, пожа-луйста.	britvai pajalousta
Ne passez pas la tondeuse, s.v.p.	Пожалуйста, без ножниц.	pajalousta byèz nojnyits
Cela suffit ainsi.	Так достаточно.	tak dastatatch'na
Dégagez un peu plus...	Снимите ещё нем-ножко...	snyimiityi yichtch'yo nyimnochka
derrière/la nuque les côtés/le haut de la tête	на затылке/на шее по бокам/сверху	na zatulkyè/na chèyè pa bakamm/svyèrkhou
Ne mettez pas de brillantine, s.v.p.	Пожалуйста, ничем не смазывайте.	pajalousta nyitchyèm nyi smazuvaïtyi
Pourriez-vous me rafraîchir...?	Пожалуйста, под-стригите...	pajalousta pastrighityi
la barbe la moustache	бороду усы	boradou oussu
Combien vous dois-je?	Сколько я вам дол-жен?	skol'ka ya vamm doljunn

Habillement

Si vous désirez quelque chose de particulier, mieux vaut consulter la liste des vêtements à la page 117. Réfléchissez à la couleur, à l'étoffe et à la taille. Puis reportez-vous aux pages qui suivent.

Généralités

Je voudrais...	**Я хотел бы...**	ya khatyèl bu
Je voudrais... pour un garçon de 10 ans.	**Мне нужен... для десятилетнего маль-чика.**	mnyè **noujun**...dlya dyisyatyilyètnyiva mal'tchika
J'aimerais quelque chose dans ce genre.	**Мне нужно что-нибудь вроде этого.**	mnyè **noujna chtony**i-bout' **vrodyè** ètava
Combien coûte le mètre ?	**Сколько стоит метр?**	skol'ka stoit myètr

Couleur

Je voudrais quelque chose en...	**Мне нужно что-нибудь...**	mnyè **noujna chtony**i-bout'
Je voudrais un ton plus foncé.	**Мне нужно что-нибудь потемнее.**	mnyè **noujna chtony**i-bout' patyimm**nyèyè**
Je voudrais quelque chose d'assorti à cela.	**Мне нужно что-нибудь в тон к этому.**	mnyè **noujna chtony**i-bout' f tonn k ètamou
Je n'aime pas cette couleur.	**Мне этот цвет не нравится.**	mnyè ètat tsvyèt nyi **nravitsya**

argent	серебряный	syiryèbryènuy
beige	беж	byèch
blanc	белый	byèluy
bleu	синий	sinyiy
brun	коричневый	karichnyivuy
crème	кремовой	kryèmavuy
émeraude	изумрудный	izoumroudnuy
fauve	желтовато-коричневый	jèltavata-karichnyivuy
gris	серый	syèruy
jaune	жёлтый	joltuy
marron	рыжевато-коричневый	rujivata-karichnyivuy
mauve	сиреневый	siryènyivuy
noir	чёрный	tchyornuy
or	золотого цвета	salatova tsvyèta
orange	оранжевый	arannjavuy
pourpre	малиновый	malyinavuy
rose	розовый	rozavuy
rouge	красный	krasnuy
vert	зелёный	zyilyonuy
violet	пурпурный	pourpournuy

в полоску	в горошек	в клетку	с узором
(f paloskou)	(v garochuk)	(f klyètkou)	(s ouzoramm)

Tissus

Avez-vous quelque chose en...?	Есть у вас что-нибудь…?	yèst' ou vass chtonyibout'
Est-ce fabriqué ici?	Это здешнее производство?	èta zdyèchnyèyè praïzvotstva
fait à la main importé	ручное производство импортное	routchnoyè praïzvotstva impartnayè
Je voudrais quelque chose de plus mince.	Мне нужно что-нибудь потоньше.	mnyè noujna chtonyibout' patonn'chè
Avez-vous une meilleure qualité?	Есть ли у вас что-нибудь лучшего качества?	yèst' lyi ou vass chtonyibout' loutchchèva katchyèstva

En quoi est-ce? | **Какой это материал?** | kakoï èta matyiryal

Ce peut être en...

batiste	**(из) батиста**	(iz) batyista
caoutchouc	**резины**	ryizinu
coton	**бумажной ткани**	boumajnoï tkanyi
cuir	**кожи**	koju
daim	**замши**	zammchu
dentelle	**кружева**	kroujuva
feutre	**фетра**	fyètra
flanelle	**фланели**	flanyèlyi
gabardine	**габардина**	gabardyina
laine	**шерсти**	chèrstyi
lin	**полотна**	palatna
nylon	**нейлона**	nyiylona
laine peignée	**шерсти**	chèrstyi
popeline	**поплина**	paplyina
rayonne	**искусственного шёлка**	iskoustvyinnava chyolka
satin	**атласа**	atlassa
serge	**саржи**	sarju
soie	**шёлка**	chyolka
taffetas	**тафты**	taftu
tissu-éponge	**махровой ткани**	makhrovaï tkanyi
tulle	**тюля**	tyoulya
tweed	**твида**	tvida
velours	**бархата**	barkhata
velours côtelé	**вельвета**	vyèl'vyèta
velours de coton	**вельветина**	vyèl'vyètyina

Faut-il le repasser après lavage? | **После стирки нужно гладить?** | poslyè stirki noujna gladit'

Est-ce grand teint/infroissable? | **Это не линяет/не мнётся?** | èta nyi lyinnyayít/nyi mnyotsya

Est-ce synthétique? | **Это синтетика?** | èta sinntyètika

millimètre	**миллиметр**	milimyètr
centimètre	**сантиметр**	sanntimyètr
mètre	**метр**	myètr

Tailles

En principe, les tailles russes devraient correspondre aux tailles françaises; il peut cependant y avoir de légères différences suivant le modèle. C'est pourquoi il vaut mieux demander qu'on prenne vos mesures ou sinon essayer directement le vêtement.

Je porte du 38.	**Мой размер 38.**	moï razmyèr 38
Pouvez-vous prendre mes mesures?	**Нельзя ли снять с меня мерку?**	nyil'**zya** lyi snyat' s myi**nya** my**ér**kou

Est-ce la bonne taille?

Puis-je l'essayer?	**Можно мне примерить?**	**moj**na mnyè pri**myè**rit'
Où est la cabine d'essayage?	**Где примерочная?**	gdyè pri**myè**ratchnaya
Y a-t-il un miroir?	**Есть ли у вас зеркало?**	yèst' lyi ou vass **zyèr**kalo
Cela me va-t-il?	**Хорошо сидит?**	khara**cho** si**dyit**
Cela va à la perfection.	**Очень хорошо сидит.**	**ot**chyinn' kha**ra**cho si**dyit**
Cela ne me va pas.	**Совсем не годится.**	saf**syèmm** nyi ga**dyit**sya
C'est trop...	**Слишком...**	**slich**kamm
court/long étroit/large	**коротко/длинно тесно/просторно**	**ko**ratka/**dly**inna **tyès**na/pra**stor**na
Combien de temps faut-il compter pour la retouche?	**Сколько времени займёт подгонка?**	**skol'**ka **vry**èmyinyi zaï**myot** pad**gon**ka

Chaussures

J'aimerais une paire de...	**Дайте мне, пожалуйста, пару...**	**daï**tyi mnyè paja**lou**sta **pa**rou
chaussures/sandales/ pantoufles bottes	**туфель/сандалий/ комнатные туфли сапог**	tou**fyèl'**/**sann**dalyi/ komnat**nу**è **tou**flyi ssa**pok**

POUR LES NOMBRES, voir page 175

Celles-ci sont trop...	Эти слишком...	ètyi slyichkamm
étroites / larges grandes / petites	узкие/широкие большие/маленькие	ouskiyè/churokiyè bal'chuyè/malyinnkiyè
Elles me serrent le bout du pied.	Они мне жмут в носках.	annyi mnyè zmout v naskakh
Avez-vous une pointure plus grande?	Есть ли на номер больше?	yèst lyi na nomyir bol'chè
Je voudrais une pointure plus petite.	Мне нужно на номер меньше.	mnyè noujna na nomyir myènchè
Avez-vous les mêmes en...	Есть ли у вас то же самое в...?	yèst' lyi ou vass to jè samayè v
brun / beige noir / blanc	коричневом/бежевом чёрном/белом (тоне)	karichnyivamm/byèjavamm tchyornamm/byèlamm (tonnyè)
daim	замшевые	sammchyèvuyè
Est-ce du cuir véritable?	Это настоящая кожа?	èta nastayachtchyaya koja
J'aimerais...	Я хотел бы купить...	ya chatyèl by koupit'
chausse-pied cirage embouchoirs lacets	рожок крем колодки шнурки	rajok kryèm kalotki chnourki

S'il le faut, n'hésitez pas à faire réparer vos chaussures sur place. Il vous suffira de dire :

Pouvez-vous réparer ces chaussures?	Можно починить эти туфли?	mojna patchinyit' ètyi touflyi
Pouvez-vous recoudre ceci?	Можно это зашить?	mojna èta zachut'
Je voudrais un ressemelage complet.	Мне нужны новые подмётки и набойки.	mnyè noujnu novuyè padmyotki i naboïki
Quand seront-elles prêtes?	Когда будет готово?	kagda boudyèt gatova

Habits et accessoires

Je voudrais...	Я хочу купить...	ya khatchyou koupit'
bas	чулки	tchyoulki
bikini	бикини	bikinyi
blazer	блазер	blazyèr
bleu de travail	рабочие брюки	rabotchiyè bryouki
blouson de sport	спортивный свитер	spartyivnuy svityèr
bonnet de bain	купальную шапочку	koupal'nouyou cha-patch'kou
bottes	сапоги	ssapaghi
bottes de caoutchouc	резиновые сапоги	ryizinavuyè ssapaghi
bretelles	подтяжки	pattyachki
caleçon	кальсоны	kal'sonu
casquette	кепку	kyèpkou
ceinture	пояс	poyass
chandail	джемпер	djèmpyèr
chapeau	шляпу	chlyapou
chaussettes	носки	naski
chaussures	туфли	touflyi
chemise	рубашку	roubachkou
chemise de nuit	ночную рубашку	natch'nouyou roubachkou
chemisier	блузку	blouzkou
complet	костюм	kastyoum
costume	костюм	kastyoum
costume de bain	купальный костюм	koupal'nuy kastyoum
cravate	галстук	galstouk
culotte (de dames)	трусики	troussiki
écharpe	шарф	charf
fichu	косынку	kassunnkou
foulard	галстук	galstouk
gaine-culotte	брючный ремень	bryoutch'nuy ryèmyèn'
gants	перчатки	pyirtchyatki
gilet	жилет	julyèt
gilet de tricot	шерстяной жилет	churstyinoï julyèt
imperméable	дождевик	dajdyivyik
jarretière	подвязки	padvyaski
jeans	джинсы	djinnsu
jupe	юбку	youpkou
jupon	комбинацию	kammbinatsuyou
lingerie	дамское бельё	dammskayè byèl'yo
manteau	пальто	pal'to
manteau de fourrure	меховое пальто	myikhavoyè pal'to
mouchoir	носовой платок	nasavoï platok
négligé	пеньюар	pyèn'youar
pantalon	брюки	bryouki

pantoufles	комнатные туфли	kommnatnuyè touflyi
pantoufles de tennis	теннисные туфли	tènyisnuyè touflyi
pardessus	пальто	pal'to
pardessus en fourrure	меховую накидку	myikhavouyou nakitkou
peignoir	купальный халат	koupal'nuy khalat
pèlerine	накидку	nakitkou
pyjama	пижаму	pijamou
robe	платье	plat'yè
robe de chambre	халат	khalat
robe du soir	вечернее платье	vyitchèrnyèyè plat'yè
sandales	сандалии	sanndal'yi
shorts	шорты	chortu
slip	бриджи	bridju
smoking	смокинг	smokinng
soutien-gorge	лифчик	lyiftchyik
tablier	передник	pyiryèdnyik
pull-over	майку	maïkou
toque de fourrure	меховую шапку	myikhavouyou chapkou
tricot	свитер	svityèr
veste de sport	спортивную куртку	spartyivnouyou kourtkou
veston	куртку	kourtkou

boucle	пряжка	pryachka
bouton	пуговица	pougavitsa
ceinture	пояс	poyass
élastique	резинка	ryizinnka
fermeture éclair	молния	molniya
manche	рукав	roukaf
poche	карман	karmann
revers	лацкан	latskann

Librairie – Papeterie – Kiosques

En URSS, les librairies et les papeteries sont des magasins bien distincts. Quant aux journaux et revues, on les achète dans les kiosques.

Où est le/la... le/la plus proche?	Где ближайший...?	gdyè blijaïchuy
librairie	книжный магазин	knyijnuy magazinn
papeterie	писчебумажный магазин	pichtchyèboumajnuy magazinn
kiosque à journaux	газетный киоск	gazyètnuy kiosk
Où puis-je acheter un journal français?	Где мне купить французскую газету?	gdyè mnyè koupit' franntsouskouyou gazyètou
J'aimerais acheter...	Я хотел бы купить...	ya khatyèl bu koupit'
bloc-notes	блокнот	blaknot
boîte de couleurs	краски	kraski
carnet	записную книжку	zapisnouyou knyichkou
carnet d'adresses	записную книжку для адресов	zapisnouyou knyichkou dlya adryissof
carte (géographique)	план	plann
carte routière	карту дорог	kartou darok
colle	клей	klyeï
crayon	карандаши	karanndach
crayons de couleurs	цветные карандаши	tsvyètnuyi karanndachu
dictionnaire	словарь	slavar'
russe-français	русско-французский	rouska-franntsouskiy
français-russe	французско-русский	franntsouska-rouskiy
de poche	карманный словарь	karmannnuy slavar'
dossier	скоросшиватель	skorachchuvatyèl'
élastiques	резинку	rizinnki
encre	чернила	tchyirnyila
noire/rouge/ bleue	чёрные/красные/ синие	tchyornuyè/krasnuyè/ sinyiyè
enveloppes	конверты	kannvyèrtu
ficelle	бечёвку	byitchyofkou
gomme	резинки	ryizinnkou
guide	путеводитель	poutyivadyityèl'
journal	газету	gazyètou
français	французскую	franntsouskouyou
belge	бельгийскую	byèlghiyskouyou
suisse	швейцарскую	chveïtsarskouyou
livre	книгу	knyigou
manuel de grammaire	учебник	outchyèbnik

papier à dessin	бумагу для рисования	boumagou dlya rissavan'ya
papier à lettres	почтовую бумагу	patch'tovouyou boumagou
papier pour machine	бумагу для машинки	boumagou dlya machunnki
papier-calque	кальку	kal'kou
papier carbone	копировальную бумагу	kapiraval'nouyou boumagou
papier d'emballage	обёрточную бумагу	abyortatch'nouyou boumagou
pastel	цветные карандаши	tsvitnuyè karanndachu
plan de la ville	план города	plann gorada
plume à réservoir	авторучку	aftaroutch'kou
punaises	чертёжные кнопки	tchyèrtyojnuyè knopki
recharge (pour une plume)	чернила для авторучки	tchyirnila dlya aftaroutchki
règle	линейку	lyinyeïkou
revue	журнал	journal
ruban de machine à écrire	ленту для пишущей машинки	lyènntou dlya pichouch-tchyei machunnki
serviettes en papier	бумажные салфетки	boumajnuyè salfyètki
stylo	ручку	routch'kou
stylo à bille	шариковую ручку	charikavouyou routch'kou
taille-crayon	точилку	tatchyilkou
Où se trouve la partie réservée aux guides touristiques ?	Где отдел путеводителей?	gdyè atdyèl poutyivadyitilyeï
Où se trouvent les livres en français ?	Где у вас французские книги?	gdyè ou vass franntsous-kiyè knyigi
Y a-t-il une traduction française de...?	Есть ли по-французски...?	yèst' lyi pa franntsouski

Pharmacie – Droguerie

Pour tous les médicaments, il faut vous adresser à une **аптека** (apt**yè**ka). Les pharmacies soviétiques sont loin d'offrir le grand choix de produits que l'on trouve dans les pays occidentaux. Si les traitements médicaux sont gratuits en URSS, vous devez par contre payer tout ce que vous achetez en pharmacie. Vous trouverez généralement un panneau dans la vitrine vous indiquant la pharmacie de service la plus proche.

Pour vous permettre une lecture plus aisée, nous avons divisé ce chapitre en deux parties:

1. Pharmacie – médicaments, premiers soins, etc.
2. Articles de toilette, produits de beauté.

Généralités

Où est la pharmacie (de service) la plus proche?	**Где ближайшая дежурная аптека?**	gdyè blyija**ï**chaya dyè**jour**naya apt**yè**ka
A quelle heure ouvre/ferme la pharmacie?	**В котором часу открывается/закрывается аптека?**	f katoramm tchy**issou** atkruv**a**itsya/zakruv**a**itsya apt**yè**ka

1. Pharmacie

Je voudrais quelque chose contre le/la...	**Дайте мне, пожалуйста, что-нибудь от...**	d**a**ïtyi mnyè pajal**ou**sta chton**y**ibout' ot
rhume/toux	**простуды/кашля**	prast**ou**dou/**ka**chlya
rhume des foins	**сенной лихорадки**	syènn**oï** lyikhar**a**tki
coups de soleil	**солнечного ожога**	s**o**lnyitchnava aj**o**ga
mal de voyage	**морской болезни**	marsk**oï** bal**yè**znyi
Pourriez-vous exécuter cette ordonnance?	**Вы можете приготовить это лекарство?**	vu m**o**jutyi prigat**o**vit' **è**ta lyik**a**rstva
Dois-je attendre?	**Мне подождать?**	mnyè padajd**a**t'

POUR LE MÉDECIN, voir page 162

Français	Русский	Prononciation
Quand puis-je revenir?	Когда мне вернуться?	kagda mnyè vyirnoutsya
Puis-je l'obtenir sans ordonnance?	Можно получить это без рецепта?	mojna paloutchyit' èta byèz ryitsèpta
Puis-je avoir...?	Дайте мне, пожалуйста...	daïtyi mnyè pajalousta
ammoniaque	нашатырный спирт	nachaturnuy spirt
aspirine	аспирин	aspirinn
bandage	гигиенический бинт	ghighyènyitchyèskiy binnt
bande de gaze	марлевый бинт	marlyèvuy binnt
comprimés digestifs	таблетки для желудка	tablyètki dlya juloutka
contraceptifs	презервативы	pryizyirvativu
coricides	мозольный пластырь	mazol'nuy plastur'
coton hydrophile	вату	vatou
crème contre les insectes	средство от комаров	sryètstva at kamarof
désinfectant	дезинфицирующее средство	dyèzinnfitsurouyou-chtchyèyè sryètstva
désinfectant pour la bouche	полоскание для рта	palaskanyiyè dlya rta
gargarisme	полоскание для горла	palaskanyiyè dlya gorla
gaze	марлю	marlyou
gouttes pour les oreilles	ушные капли	ouchnuyè kaplyi
gouttes pour les yeux	глазные капли	glaznuyè kaplyi
huile de ricin	касторовое масло	kastoravayè masla
laxatif	слабительное	slabityèl'naye
pastilles pour la gorge	таблетки для горла	tablyètki dlya gorla
pastilles contre la toux	таблетки от кашля	tablyètki at kachlya
tablettes pour diabétiques	таблетки от сахарной болезни	tablyètki at ssakharnaï balyèzni
pommade antiseptique	антисептическую мазь	antisyèptyitchyèskouyou mas'
serviettes hygié-niques	гигиенические салфетки	ghighyènyitchyèskiyè salfyètki
sédatif	успокаивающее	ouspakaïvayouchtch'yèyè
somnifères	снотворное	snatvornayè
sparadrap	пластырь	plastur'
teinture d'iode	йод	yot
thermomètre	термометр	tyirmomyètr
vitamines	витамины	vitaminu

2. Articles de toilette

Je voudrais...	Дайте мне, пожалуй-ста...	daïtyi mnyè pajalousta
astringent	средство, стяги-вающее кожу	sryètstva styaghiva-youchchyèyè koju
essence pour le bain	пенящуюся жидкость для ванны	pyènyachtchyouyousya jutkast' dlya vannu
blaireau	кисточку для бритья	kistatch'kou dlya brit'ya
brosse à dents	зубную щётку	zoubnouyou chtch'yotkou
brosse à ongles	щёточку для ногтей	chtchyotatch'kou dlya naktyeï
ciseaux à ongles	ножницы для ногтей	nojnyitsu dlya naktyeï
coupe-ongles	кусачки	koussatchki
crayon pour les yeux	карандаш для глаз	karanndach dlya glass
crème	крем	kryèm
crème contre l'acné	мазь от прыщей	mas' at pruchtch'yeï
crème de base	крем-тон	kryèm tonn
cold cream	кольдкрем	kol'dkryèm
crème démaquillante	крем для снятия косметики	kryèm dlya snyatya kasmyètyiki
crème aux hormones	гормональный крем	garmanal'nuy kryèm
crème hydratante	жирный крем	jurnuy kryèm
crème pour les mains	крем для рук	kryèm dlya rouk
crème de nuit	ночной крем	natchnoï kryèm
crème à raser	крем для бритья	kryèm dlya brit'ya
crème solaire	крем для загара	kryèm dlya zagara
déodorant	средство от пота	sryètstva at pota
eau de Cologne/de toilette	одеколон	adyikalonn
fard	румяна	roumyana
crème/poudre	крем/пудру	kryèm/poudrou
fard à paupières	краску для глаз	kraskou dlya glas
fond de teint	крем-тон	kryèm tonn
houpette	пуховку	poukhofkou
huile	масло	masla
huile solaire	масло для загара	masla dlya zagara
lames de rasoir	лезвия	lyèzviya
lime à ongles	пилочку	pilatchkou
lotion après rasage	одеколон после бритья	adyikalonn poslyè brit'ya
mouchoirs en papier	бумажные платки	boumajnuyè platki
papier hygiénique	туалетную бумагу	toualyètnouyou boumagou
parfum	духи	doukhi
pâte dentifrice	зубную пасту	zoubnouyou pastou

poudre	пудру	poudrou
rouge à lèvres	губную помаду	goubnouyou pamadou
savon	мыло	mula
savon à barbe	мыло для бритья	mula dlya brit'ya
sels de bain	экстракт для ванны	èkstrakt dlya vannu
serviette	полотенце	palatyèntsè
shampooing (liquide)	шампунь (жидкий)	chammpoun' (jutkiy)
talc	тальк	tal'k
trousse de maquillage	сумочку для косметики	soumatch'kou dlya kas-myètyiki
vernis à ongles	лак для ногтей	lak dlya naktyeï

Pour les cheveux

bigoudis	бигуди	bigoudyi
brosse à cheveux	щётка	chtchyotka
épingles à cheveux	шпильки	chpil'ki
laque	лак	lak
peigne	гребень	gryèbyèn'
pinces à cheveux	заколки	zakolki
teinture/colorant	краска/оттенок	kraska/attyènak

Pour le bébé

alaise	клеёнка	klyiyonnka
aliments	еда	yida
bavette	детский нагрудник	dyètskiy nagroudnyik
biberon	соска (пустышка)	soska (poustuchka)
épingles de nourrice	английские булавки	annglyiskiyè boulafki
gobelet	чашка	tchyachka
langes	пелёнки	pyilyonnki

Remarque: Bien des articles de parfumerie courants en Occident sont introuvables en URSS.

Photographie

On peut acheter des films pour appareils de photo et pour caméras – excepté les cassettes super 8 mm – dans les magasins de photo et les grands magasins. Les films sont assez bon marché. Les caméras de production soviétique sont de bonne qualité. Evitez de photographier les installations militaires, les aéroports et les ports. Même si rien ne vous empêche de faire des photos dans la rue, il est préférable de demander l'accord des personnes que vous souhaitez photographier.

Me permettez-vous de vous prendre en photo?	Вы не против, если я вас сниму?	vu nyi protyif yèslyi ya vass snyimou
J'aimerais un film pour cet appareil.	Дайте мне, пожалуйста, плёнку для этого аппарата.	daïtyi mnyè pajalousta plyonnkou dlya ètava aparata
6×6	шесть на шесть	chèst' na chèst'
4×4	четыре на четыре	tchyituryè na tchyituryè
24×36	двадцать четыре на тридцать шесть	dvatsat' tchyituryè na tritsat' chèst'
8 mm	восемь миллиметров	vosyèm' milyimyètraf
super 8	супер восемь	soupyèr vosyèm'
16 mm	шестнадцать миллиметров	chèsnatsat' milyimyètraf
20/36 poses	двадцать/тридцать шесть фотографий	dvatsat'/tritsat' chèst' fatagrafyi
de ce format	этого размера	ètava razmyèra
de ce numéro ASA/ DIN	это число аса/дин	èta tchyislo assa/dyinn
noir et blanc	чёрно-белая	tchyorna-byèlaya
couleur	цветная негативная	tsvyètnaya nyègativnaya
diapositive	цветная позитивная	tsvyètnaya pazitivnaya
pour lumière artificielle	для искусственного света	dlya iskousstvyinnava svyèta
pour lumière du jour	для дневного света	dlya dnyèvnova svyèta

POUR LES NOMBRES, voir page 175

PHOTOGRAPHIE

Développement

Combien coûte le développement ?	Сколько стоит проявить плёнку?	skol'ka stoït prayavit' plyonnkou
J'aimerais... copies de ce négatif.	Я хочу по... отпечатков от каждого негатива.	ya khatchyou pa... atpyitchyatkaf at kajdava nyègativa
Voulez-vous m'agrandir ceci, s.v.p. ?	Нельзя ли увеличить?	nyil'zya lyi ouvyèlyitchyit'

Accessoires

Je voudrais...	Я хотел бы купить...	ya khatyèl bu koupit'
ampoules de flash	лампы для вспышки	lammpu dlya fspuchki
pour films noir et blanc	для чёрно-белой плёнки	dlya tchyorna-byèlaï plyonnki
pour films couleur	для цветной плёнки	dlya tsvyètnoï plyonnki
déclencheur souple	тросик	trosyik
filtre	фильтр	fil'tr
rouge/jaune	красный/жёлтый	krasnuy/joltuy
ultraviolet	ультрафиолетовый	oul'trafialyètavuy
objectif	объектив	ab'yèktif
protège-objectif	крышку объектива	kruchkou ab'yèktiva
trépied	треножник	tryènojnyik

Dégâts

Mon appareil ne fonctionne plus. Pouvez-vous le réparer ?	Аппарат не работает. Вы можете исправить?	aparat nyi rabotait. vu mojutyè ispravyit'
Le film est bloqué.	Плёнку заело.	plyonnkou zayèla
J'ai des ennuis avec...	Что-то не в порядке с...	chtota nyi f paryatkyè s
le compte-poses	установкой выдержки	oustanofkaï vudyèrchki
le levier d'avancement	заводом/перемоткой	zavodamm/pyiryimotkaï
le posemètre	экспозиметром	èkspozimètramm
l'obturateur	затвором	zatvoramm

Provisions

Voici une liste des principaux aliments et boissons dont vous pourriez avoir besoin pour un pique-nique ou un repas improvisé chez vous.

Je voudrais... s.v.p.	Дайте мне, пожалуйста, ...	daïtyi mnyè pajalousta
bananes	бананы	bananu
beurre	масло	masla
biscuits	печенье	pyitchyèn'yè
biscuits salés	крэкер	krèkyèr
bonbons	конфеты	kannfyètu
café	кофе	kofyè
caviar	икру	ikrou
charcuterie	варёную колбасу	varyonouyou kalbassou
chips	хрустящий картофель	khroustyachtch'yiy kartofyèl'
chocolat	шоколад	chakalat
citrons	лимоны	limonu
concombres	огурцы	agourtsu
cornichons	маринованые огурцы	marinovanuyè agourtsu
figues séchées	сушёный инжир	souchonuy innjur
fromage	сыр	sur
fromage blanc	творог	tvarok
glace	мороженое	marojènayè
graisse à cuire	жир	jur
hamburgers	котлеты	katlyètu
jambon	ветчину	vyitchyinou
jus d'oranges	апельсиновый сок	apyil'sinavuy sok
lait	молоко	malako
limonade	лимонад	limanat
macaroni	макароны	makaronu
moutarde	горчицу	gartchyitsou
oranges	апельсины	apyil'sinu
pain	хлеб	khlyèp
pâté	паштет	pachtyèt
petits pains	булочки	boulatchki
poivre	перец	pyèryèts
pommes	яблоки	yablaki
pommes de terre	картошку	kartochkou
porc	свинину	svyinyinou
raisins secs	изюм	izyoum
salade	салат	salat
sandwiches	бутерброды	boutyirbrodu
saucisses	сосиски	sassisski
saucisses de foie	ливерную колбасу	lyivyèrnouyou kalbassou

sucre	сахар	sakhar
thé	чай	tchyaï
tomates	помидоры	pamidoru
viande froide	холодное мясо	khalodnayè myassa
yaourt	простоквашу	prastakvachou

Et n'oubliez pas...

allumettes	спички	spitch'ki
ouvre-boîtes	консервный нож	kannsyèrvnuy noj
ouvre-bouteilles	открывалку для бутылок	atkruvalkou dlya boutulak
serviettes en papier	(бумажные) салфетки	(boumajnuyè) salfyètki
tire-bouchon	штопор	chtopar

gramme	грамм	gramm
livre	пол-килограмма	pol-kilagramma
kilo	килограмм	kilagramm
litre	литр	lyitr

boîte	коробка	karopka
boîte de conserve	(консервная) банка	(kannsyèrvnaya) bannka
carton	картонка	kartonnka
cruche	банка	bannka
panier	корзина	karzina
paquet	пакет	pakyèt
tube	тюбик	tyoubik

PROVISIONS

Souvenirs

Si vous avez l'intention d'acquérir des antiquités, il ne faut pas oublier que les objets d'art d'avant 1917 sont généralement considérés comme trésors nationaux, les sculptures et les icônes peuvent être exportés, avec l'autorisation du Ministre de la Culture et après paiement des droits de douane.

Vous trouverez toute une collection d'objets peints et sculptés en bois de bouleau, des gobelets géorgiens en corne et des bonnets brodés de soie dans les magasins Beriozka où tout objet se paie en devises étrangères.

Voici quelques articles que vous aurez peut-être envie d'acheter comme souvenir ou comme cadeau:

affiches	плакаты	plakatu
ambre	янтарь	yanntar'
cigarettes russes	папиросы	papirossu
dentelles	кружево	kroujèva
icônes	иконы	ikonu
jeu d'échecs	шахматы	chakhmatu
objets en cuir	изделия из кожи	izdyèl'ya is koju
poupées de bois	матрёшки	matriochki
tapis de Tékine	текинские ковры	tyèkinnskiyi kavru
timbres	марки	marki
toques	меховые шапки	myikhavuyè chapki
vodka	водка	votka

Votre argent: banques – change

Comme nous l'avons déjà mentionné, vous devez déclarer à la frontière toutes les devises étrangères que vous avez avec vous. Gardez précieusement cette déclaration, car vous devrez la présenter pour convertir vos roubles en francs et pour sortir votre argent d'URSS, lors de votre départ.

Les cartes de crédit internationales sont reconnues dans certains magasins soviétiques, tels que les galeries d'art, ainsi que dans les hôtels dépendant d'Intourist et dans les boutiques où les achats se règlent en devises. Autrement, l'usage de la carte de crédit et du chèque personnel est étranger à la Russie.

Cependant, les chèques de voyage les plus courants sont avalisés par les bureaux de change officiels et les hôtels. On les accepte également dans les boutiques traitant avec des devises étrangères. Attendez-vous à ce qu'on vous rende la monnaie en devises dépareillées. Et surtout, n'oubliez ni votre passeport ni votre attestation d'importation monétaire.

Pour convertir vos chèques de voyage et vos devises, allez aux guichets de change des hôtels; plus pratiques que ceux des banques, ils restent ouverts plus longtemps que ces derniers, quoique avec un horaire irrégulier.

Attention! changer de l'argent au marché noir est considéré comme un grave délit par les autorités soviétiques: en enfreignant la loi, vous risquez (au minimum) une mesure d'expulsion.

Système monétaire

Le système monétaire est basé sur le rouble, divisé en 100 kopecks. On écrit 3 roubles 15 kopecks de la façon suivante: 3 p. 15 k.

Il y a des pièces de 1, 2, 3, 5, 10, 15, 20, 50 kopecks et de 1 rouble et des billets de 1, 3, 5, 10, 25, 50 et 100 roubles.

Sur le chemin

Où se trouve la banque/le bureau de change la/le plus proche?	Где ближайший банк/обмен денег?	gdyè blyijaïchuy bannk/abmyèn dyènyèk
Où puis-je encaisser un chèque de voyage?	Где можно разменять дорожные чеки?	gdyè mojna razmyinyat' darojnuyè tchyèki

A l'intérieur

Je voudrais changer des dollars, s.v.p.	Мне нужно обменять доллары.	mnyè noujna abmyinyat' dolaru
Je voudrais changer des francs.	Мне нужно обменять франки.	mnyè noujna abmyinyat' frannki
Voici mon passeport.	Вот мой паспорт.	vot moï paspart
Quel est le cours du change?	Какой валютный курс?	kakoï valyoutnuy kourss
Quelle commission prenez-vous?	Сколько вы берёте за обмен?	skol'ka vu byiryotyi za abmyèn
J'ai...	У меня...	ou myinya
une introduction de...	рекомендательное письмо...	ryèkamyèndatyèl'nayè piss'mo
une carte de crédit	кредитная карточка	kryèdyitnaya kartatch'ka
J'attends de l'argent de... Est-il déjà arrivé?	Для меня должны быть деньги из... Они уже пришли?	dlya myinya daljnu but' dyèn'ghi iz... anyi oujè prichlyi
Donnez-moi... billets de 50 roubles et un peu de monnaie, s.v.p.	Дайте мне, пожалуйста,... пятидесяти-рублёвок, остальное мелочью.	daïtyi mnyè pajalousta... pyityidyissyityiroublyovak astal'noyè myèlatch'you
Donnez-moi... grosses coupures, et le reste en petites coupures.	Дайте мне пожалуйста... крупных купюр, а остальное мелкими купюрами.	daïtyi mnyè pajalousta... kroupnukh koupyour a aotal'noyè myèlkimi koupyourami
Pourriez-vous re-contrôler ceci, s.v.p.?	Проверьте ещё раз, пожалуйста?	pravyèrtyi yichtch'yo ras pajalousta
Où dois-je signer?	Где подписаться?	gdyè patpisatsya

Cours du change

Comme les taux de change sont sujets à des fluctuations, vous aurez avantage à remplir vous-même le tableau ci-dessous. Vous obtiendrez des renseignements sur les cours auprès des banques, des agences de voyages et des offices du tourisme.

URSS	Fr. B.	Fr. F.	Fr. S.
10 kopecks			
50 kopecks			
1 rouble			
5 roubles			
25 roubles			
50 roubles			
100 roubles			

BANQUE

A la poste

Vous reconnaîtrez les bureaux de poste au mot почта
(**potch**'ta). Les boîtes aux lettres sont bleues. Les grands
hôtels ont leur propre bureau de poste qui vend des timbres
et expédie des télégrammes. N'oubliez pas que les mandats
postaux internationaux ne peuvent être encaissés que dans
les banques.

Où se trouve le bureau de poste le plus proche?	Где ближайшая почта?	gdyè blyijaïchaya potch'ta
A quelle heure ouvre/ ferme le bureau de poste?	В котором часу от- крывается/закры- вается почта?	f katoramm tchyissou at- kruvayètsya / zakruvayètsya potch'ta
A quel guichet puis-je acheter des timbres?	В каком окне про- дают марки?	f kakomm aknyè pra- dayout marki
Je voudrais des timbres, s.v.p.	Дайте мне, пожа- луйста, марки.	daïtyi mnyè pajalousta marki
Je voudrais... timbres de 4 kopecks et... timbres de 6 kopecks.	Я хочу ... марок по 4 копейки и ... марки по 6 копеек.	ya khatchyou... marak pa 4 kapyeïki i... marki pa 6 kapyèyèk
Quel est le tarif d'une lettre pour Paris?	Сколько стоит письмо в Париж?	skol'ka stoït piss'mo v parich
Quel est le tarif d'une carte postale pour Genève?	Сколько стоит от- крытка в Женеву?	skol'ka stoït atkrutka v gènyèvou
Quand arrivera cette lettre?	Когда придёт это письмо?	kagda pridyot èta piss'mo
Est-ce que toutes les lettres partent par avion?	Авиапочтой идут все письма?	aviapotch'taï idout fsyè piss'ma
Dois-je remplir une déclaration en douane?	Нужно ли заполнить таможенную декла- рацию?	noujna lyi zapolnyit' tamojènouyou dyèkla- ratsuyou

POSTE

POUR LES NOMBRES, voir page 175

Je voudrais expédier cette lettre recommandée.	Я хочу послать это письмо заказным.	ya khatchyou paslat' èta piss'mo zakaznumm
Où se trouve la boîte aux lettres?	Где почтовый ящик?	gdyè patch'tovuy yachtchyik
Je voudrais envoyer ceci...	Пожалуйста...	pajalousta
par avion	авиапочтой	aviapotch'taï
par exprès	с нарочным	s naratch'numm
recommandé	заказным	zakaznumm
Où se trouve la poste restante?	Где окно до востребования?	gdyè akno da vas-tryèbavan'yiya
Y a-t-il du courrier pour moi?	Нет ли для меня писем?	nyèt lyi dlya myinya pissyèmm
Je m'appelle...	Меня зовут...	myinya zavout
Voici mon passeport.	Вот мой паспорт.	vot moï paspart

ПОЧТОВЫЕ МАРКИ TIMBRES-POSTE
ПОСЫЛКИ' COLIS

Télégrammes

Il n'est pas possible d'envoyer des télégrammes en P.C.V. Il faut payer sur place.

Où se trouve le bureau télégraphique (le plus proche)?	Где (ближайший) телеграф?	gdyè (blyijaïchuy) tyèlyègraf
Je voudrais envoyer un télégramme. Puis-je avoir un formulaire, s.v.p.?	Я хочу послать телеграмму. Пожалуйста, бланк.	ya khatchyou paslat' tyèlyègramou. pajalousta blannk
Combien coûte le mot?	Сколько нужно платить за слово?	skol'ka noujna platyit' za slova
Combien de temps met un télégramme pour arriver à Bruxelles?	Сколько времени идёт телеграмма в Брюссель?	skol'ka vryèmyinyi idyot tyèlyègramma v bryoussyèl'

Téléphone

A l'intérieur de l'URSS les communications téléphoniques sont faciles et rapides. Si vous voulez téléphoner d'une cabine publique, introduisez une pièce de 2 kopecks avant de décrocher le récepteur. En Union Soviétique, les annuaires téléphoniques sont introuvables. Si vous avez besoin d'un numéro, vous pouvez l'obtenir dans un kiosque d'information (voir page 80). Toutes les centrales ont des téléphonistes parlant l'anglais, le français et l'allemand. Il est possible d'utiliser des cartes de crédit pour les communications internationales.

Généralités

Où se trouve le téléphone?	Где телефон?	gdyè tyèlyèfonn
Où se trouve la cabine téléphonique la plus proche?	Где ближайшая телефонная будка?	gdyè blyijaïchaya tyèlyèfonnaya boutka
Puis-je utiliser votre téléphone?	Можно от вас позвонить?	mojna at vass pazvanyit'
Avez-vous un annuaire téléphonique?	Нет ли у вас телефонной книги?	nyèt lyi ou vass tyèlyèfonnnaï knighi
Pouvez-vous m'aider à trouver ce numéro?	Помогите мне, пожалуйста, найти этот номер?	pamaghityi mnyè pajalousta naïtyi ètat nomyir

Téléphoniste

Parlez-vous français?	Вы говорите по-французски?	vu gavarityi pa franntsouski
Bonjour, je voudrais le 12-34-56.	Доброе утро. Дайте мне номер 12-34-56.	dobrayè outra. daïtyi mnyè nomyir 12-34-56
Puis-je téléphoner par l'automatique?	Я могу сам набрать?	ya magou samm nabrat'
Veuillez m'indiquer le coût de la communication quand j'aurai terminé.	Сообщите мне потом, пожалуйста, сколько будет стоить разговор.	saapchtch'yityi mnyè patomm pajalousta skol'ka boudyit stoit' razgavor

POUR LES NOMBRES, voir page 175

TELEPHONE

TELEPHONE

La communication

Je désire parler à...	**Позовите, пожалуй-ста...,**	pazavityi pajalousta
Pourriez-vous me passer...?	**Пожалуйста, соедините меня с...**	pajalousta sayidyinyityi myinya s
Je voudrais l'interne...	**Добавочный...**	dabavatch'nuy
Est-ce...?	**Это...?**	èta
Allô, ici...	**Алло! Говорит...**	allo. gavarit

Pas de chance

Voulez-vous essayer plus tard, s.v.p.?	**Пожалуйста, попробуйте еще раз попозже.**	pajalousta paprobouytyi yichtch'yo ras papojyè
Mademoiselle, vous m'avez donné un faux numéro.	**Вы мне дали не тот номер.**	vu mnyè dalyi nyi tot nomir

Tableau d'épellation

Au cas où vous devriez épeler votre nom ou celui d'une rue, voici comment prononcer les lettres de l'alphabet russe :

а	a	р	èr
б	bè	с	èss
в	vè	т	tè
г	ghè	у	ou
д	dè	ф	èf
е	yè	х	kha
ё	yo	ц	tsè
ж	jè	ч	tchya
з	zè	ш	cha
и	i	щ	chtchya
й	i **krat**kayè	ъ	**tvyor**duy znak
к	ka	ы	u
л	èl	ь	**myakh**kiy znak
м	èm	э	è
н	èn	ю	you
о	o	я	ya
п	pè		

Absent

Quand sera-t-elle de retour?	Когда она вернётся?	kagda ana vyirnyotsya
Veuillez lui dire que j'ai appelé, mon nom est...	Передайте ей, пожалуйста, что звонил...	pyiridaïtyi yeï pajalousta chto zvanyil
Pourriez-vous lui demander de me rappeler?	Попросите её, пожалуйста, позвонить мне.	paprasityi yiyo pajalousta pazvanyit' mnyè
Pourriez-vous prendre un message, s'il vous plaît?	Нельзя ли передать ей несколько слов?	nyil'zya lyi pyiridat' yeï nyèskal'ka slof

Taxes

Quel est le prix de la communication?	Сколько стоил разговор?	skol'ka stoïl razgavor
Je voudrais payer la communication.	Я хочу заплатить за разговор.	ya khatchyou zaplatyit' za razgavor

Вас вызывают по телефону.	Il y a un appel téléphonique pour vous.
Вас просят к телефону.	On vous demande au téléphone.
Какой номер вам нужен?	Quel numéro demandez-vous?
Телефон занят.	La ligne est occupée.
Не отвечают.	Personne ne répond.
У вас неправильный номер.	Vous avez fait un faux numéro.
Телефон не работает.	Le téléphone est en dérangement.
Его сейчас нет,	Il est absent pour le moment.

TELEPHONE

La voiture

Station-service

Nous envisagerons tout d'abord vos éventuels besoins dans une station-service. La plupart d'entre elles n'entreprennent pas de réparations importantes; mais en plus de l'approvisionnement en essence, elles peuvent vous aider à résoudre une foule de petits problèmes.

Où se trouve la station-service la plus proche?	Где ближайшая заправочная станция?	gdyè blyijaïchaya zapravatch'naya stanntsuya
Je voudrais... litres, s.v.p.	Дайте мне, пожалуйста, ... литров.	daïtyi mnyè pajalousta... lyitraf
10/20/50	десять/двадцать/ пятьдесят	dyèsyat'/dvatsat'/ pidyisjat'
Je voudrais 15 litres de normale/super.	Дайте мне 15 литров обыкновенного/ высшего качества.	daïtyi mnyè 15 lyitraf abuknavyènnava/ vuchchèva katchyèstva
Le plein, s.v.p.	Полный бак, пожалуйста.	polnuy bak pajalousta

Remarque: Vous payerez probablement votre essence avec des bons d'essence Intourist. Les bons non utilisés peuvent être échangés contre de l'argent étranger lors de votre sortie d'Union Soviétique.

Pouvez-vous contrôler l'eau et l'huile, s.v.p.?	Проверьте, пожалуйста, масло	pravyèr'tyi pajalousta masla
Ajoutez... litres d'huile, s.v.p.	Дайте мне, пожалуйста, ... литров масла.	daïtyi mnyè pajalousta... lyitraf masla

Remplissez la batterie d'eau distillée, s.v.p.	Долейте дистиллированной воды в аккумулятор.	dalyeïtyi dyistyilyiravannaï vadu v akoumoulyatar
Pouvez-vous vérifier la pression des pneus?	Проверьте, пожалуйста, давление в шинах.	pravyèr'tyi pajalousta davlyèniyè f chunakh
La pression doit être de 1,6 à l'avant et de 1,8 à l'arrière.	Давление должно быть 1,6 впереди и 1,8 сзади.	davlyèn'yè daljno but' 1,6 fpyèryèdyi i 1,8 szadyi
Voulez-vous aussi vérifier la roue de secours, s.v.p.?	Проверьте, пожалуйста, и запасное колесо.	pravyèr'tyi pajalousta i zapasnoyè kalyisso
Pouvez-vous réparer ce pneu?	Можно заделать этот прокол?	mojna zadyelat' ètat prakol
Voulez-vous changer cette roue, s.v.p.?	Поставьте, пожалуйста, новую покрышку.	pastaftyi pajalousta novouyou pakruchkou
Voulez-vous nettoyer le pare-brise, s.v.p.?	Помойте, пожалуйста, переднее стекло.	pamoïtyi pajalousta pyiryèdniyè styiklo
Avez-vous une carte routière de cette région?	Есть ли у вас карта дорог этого района?	yèst' lyi ou vass karta darok ètava raïona
Où sont les toilettes?	Где туалет?	gdyè toualyèt

Pour demander sa route

Excusez-moi.	**Простите.**	prastyityi
Pourriez-vous m'indiquer la route de...?	**Как проехать к...?**	kak prayèkhat' k
Comment puis-je aller à...?	**Как доехать до...?**	kak dayèkhat' da
Où mène cette route?	**Куда идёт эта дорога?**	kouda idyot èta daroga
Pouvez-vous me montrer sur la carte où je me trouve?	**Покажите мне, пожалуйста, где я нахожусь.**	pakajutyi mnyè pajalousta gdyè ya nakhajouss'
A quelle distance sommes-nous de...?	**Сколько времени ехать отсюда до...?**	skol'ka vryèmyinyi yèkhat' atsyouda da

Это не та дорога.	Vous êtes sur la mauvaise route.
Вам нужно ехать прямо.	Allez tout droit.
Это там, левее (правее).	C'est là-bas à gauche/à droite.
Поезжайте по этой дороге.	Passez par là.
До первого (второго) перекрёстка.	Allez jusqu'au premier/deuxième carrefour.
Сверните налево (направо) у светофора.	Tournez à gauche (droite) après les feux.

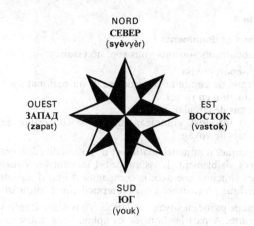

NORD
СЕВЕР
(syèvyèr)

OUEST
ЗАПАД
(zapat)

EST
ВОСТОК
(vastok)

SUD
ЮГ
(youk)

Le reste de ce chapitre sera plus précisément consacré à la voiture elle-même. Nous l'avons divisé en deux parties:

Partie A: elle contient des conseils d'ordre général sur la circulation en URSS. Elle sert essentiellement de référence et il est recommandé de la consulter à l'avance.

Partie B: elle vous donne des indications pratiques en cas d'accident ou de panne. Elle comprend une liste des pièces détachées et énumère les diverses causes de panne. Il vous suffit d'indiquer le terme approprié au mécanicien, lequel pointera à son tour la bonne réponse.

Partie A

Douane et documents

Les documents suivants vous sont nécessaires:

passeport et visa
permis de conduire (international, ou national avec traduction en russe)
permis de circulation
bons Intourist, comme preuve de la couverture de vos frais de voyage.

Les plaques d'immatriculation et de nationalité doivent être placées visiblement. L'assurance est facultative. Vous pouvez en conclure une avec la compagnie d'Etat d'Assurances Soviétique *(Ingostrakh)* par l'intermédiaire d'Intourist.

Avant de partir en voyage en URSS, vous devez établir votre itinéraire. A part les bons de camping, vous utiliserez également des bons d'essence.

Voici mon...	Вот...	vot
permis de conduire	мои права	mayi prava
passeport	мой паспорт	moi paspart
visa	моя виза	maya viza
Je voudrais louer une voiture.	Я хочу взять напрокат машину.	ya khatchyou vzyat' naprakat machunou
Je voudrais conclure une assurance tous risques.	Я хочу застраховать машину.	ya khatchyou zastrakhavat' machunou
Nous comptons aller à Moscou par Minsk.	Мы хотим ехать в Москву через Минск.	mu khatyimm yèkhat' v maskvou tchyèryiz minnsk
Pouvez-vous m'indiquer le chemin pour la route principale?	Как проехать к магистрали?	kak prayèkhat' k maghistralyi
Combien de temps faut-il jusqu'à Leningrad?	Сколько ехать до Ленинграда?	skol'ka yèkhat' da lyènyinngrada

POUR LA LOCATION DES VOITURES, voir page 26

Les routes

Vous avez le choix entre une douzaine d'itinéraires pour visiter l'Union Soviétique. Parmi les plus populaires, il y a la route allant de Brest à Moscou et passant par Minsk (depuis la Pologne) et la route Julja–Urpala–Leningrad–Moscou (depuis la Finlande).

Vous aurez certainement à circuler sur des routes pavées; mieux vaut conduire à une vitesse modérée, surtout si c'est la première fois que vous empruntez la route en question. Il faut faire particulièrement attention la nuit, le maniement des phares par les Russes différent sensiblement du nôtre. De plus, des charrettes mal éclairées peuvent se trouver sur la chaussée.

Circulation

Les normes de circulation restent pour l'essentiel identiques à celles des pays européens. Dans les villes, la vitesse est limitée à 60 km/h. En dehors des agglomérations, ne dépassez jamais le 90 km/h, à moins que des panneaux ne vous l'autorisent. Dans les villes, l'usage du klaxon est interdit, sauf pour éviter un accident.

Même si le pourcentage des accidents est relativement bas à cause du nombre limité des voitures privées, le problème de l'alcoolisme au volant existe bel et bien en URSS, autant qu'en Occident.

Faites appel à votre bon sens lorsque vous parquez. Observez les signaux de stationnement. Vous en trouverez quelques exemplaires aux pages 160 et 161.

Excusez-moi, puis-je me garer ici?	**Простите. Можно тут поставить машину?**	prastyityi. mojna tout pastavit' machunou
Combien de temps puis-je stationner ici?	**Надолго ли можно тут оставить машину?**	nadolga lyi mojna tout astavit'machunou
Quelle est la taxe de stationnement?	**Сколько это будет стоить?**	skol'ka èta boudyit stoit'

La signalisation routière soviétique

Voici quelques-uns des signaux et panneaux de circulation que vous pourrez rencontrer en URSS. Il serait bon que vous les étudiez à l'avance car vous ne pourrez plus les déchiffrer tout en roulant!

ВЕЛОСИПЕДИСТЫ	cyclistes
ВНИМАНИЕ, ВПЕРЕДИ ВЕДУТСЯ РАБОТЫ	attention travaux
(ВНИМАНИЕ) ПЕШЕХОДЫ	attention piétons
ВСТРЕЧНОЕ ДВИЖЕНИЕ	circulation dans les deux sens
ВЪЕЗД ЗАПРЕЩЁН	entrée interdite
ДВИЖЕНИЕ В ОДИН РЯД	circulation à une voie
ДЕРЖИТЕСЬ ПРАВОЙ СТОРОНЫ	serrez à droite
КАМНЕПАД	chute de pierres
ОБГОН ЗАПРЕЩЁН	interdiction de doubler
ОБОЧИНА	accotements non carrossables
ОБЪЕЗД	déviation
ОГРАНИЧЕНИЕ СКОРОСТИ	ralentissez
ОДНОСТОРОННЕЕ ДВИЖЕНИЕ	sens unique
ОПАСНО	danger
ОПАСНЫЙ ПОВОРОТ	virage dangereux
ОСТАНОВКА АВТОБУСА	arrêt de bus
ОСТАНОВКА ЗАПРЕЩЕНА	arrêt interdit
ПЛОХАЯ ДОРОГА	chaussée déformée
СВЕТОФОР ЗА СТО МЕТРОВ	feux à 100 mètres
СКВОЗНОГО ПРОЕЗДА НЕТ	rue sans issue
СТОЯНКА ЗАПРЕЩЕНА	stationnement interdit
СУЖЕНИЕ ДОРОГИ	rétrécissement de la chaussée

SIGNALISATION ROUTIÈRE, voir pp. 160-161

Partie B

Accidents

Cette partie est consacrée aux premiers secours. Les problèmes légaux (responsabilité, arrangements) seront envisagés ultérieurement. Votre premier devoir est de vous occuper des blessés éventuels.

Y a-t-il des blessés?	Никто не ранен?	nyikto nyè ranyinn
Ne bougez pas.	Не двигайтесь.	nyè dvigaïtyèss'
Ce n'est rien. Ne vous inquiétez pas.	Всё в порядке. Не беспокойтесь.	fsyo f paryatkyè nyè byèspakoïtyiss'
Où se trouve le téléphone le plus proche?	Где ближайший телефон?	gdyè blyijaïchuy tyèlyèfonn
Puis-je me servir de votre téléphone? Il y a eu un accident.	Можно от вас позвонить? Несчастный случай на дороге!	mojna at vass pazvanyit'? nyistchyastnuy sloutchyaï na daroghyè
Appelez d'urgence un médecin/une ambulance. Il y a des blessés.	Вызовите скорее врача (скорую помощь). Есть раненые.	vuzavityè skaryèyè vratchya (skarouyou pomachtch'). yèst' ranyènuyè
Aidez-moi à les sortir de la voiture.	Помогите мне вытащить их из автомобиля.	pamaghityè mnyè ikh vutachtch'it' iz aftamabilya

Police – Echange d'informations

Appelez la police, s.v.p.	Вызовите, пожалуйста, милицию.	vuzavityè pajalousta milyitsuyou
Il y a eu un accident.	Несчастный случай.	nyèchtchastnuy sloutchaï
C'est à environ... km de...	Примерно в... километрах от...	primyèrna v... kilamyètrakh at
Je suis sur la route Brest-Minsk, à... km de Minsk.	Я на дороге Брест-Минск, в ... километрах от Минска.	ya na daroghyè bryèst minnsk v... kilamyètrakh at minnska
Voici mon nom et mon adresse.	Вот моё имя и адрес.	vot mayo imya i adryèss

Acceptez-vous de servir de témoin?	Вы согласны быть свидетелем?	vu saglassou but' svyidyètyèlyèm
Je voudrais un interprète.	Мне нужен пере-водчик.	mnyè nouojèn pyiryi-vottchik

Remarque: Annoncez l'accident au bureau Intourist le plus proche.

En panne

Nous diviserons ce chapitre en quatre parties:

1. *Sur la route*
   Vous demandez où se trouve le garage le plus proche.

2. *Au garage*
   Vous expliquez au mécanicien ce qui est arrivé à votre voiture.

3. *Raison de la panne*
   Il vous indique ce qui, d'après lui, est défectueux.

4. *Réparation*
   Vous lui demandez d'effectuer la réparation, puis vous réglez la facture (ou vous en contestez le montant).

Phase 1 – Sur la route

Où est le garage le plus proche?	Где ближайшая станция обслужи-вания?	gdyè blyijaïchuya stanntsuya abslouju-van'ya
Excusez-moi. Ma voiture est tombée en panne. Est-ce que je peux téléphoner?	У меня остановилась машина. Можно от вас позвонить?	ou myinya astanavilass machuna. mojna at vass pazvanyit'
Quel est le numéro de téléphone du garage le plus proche?	Какой телефон ближайшей станции обслуживания?	kakoï tyèlyèfonn blyijaïcheï stanntsui abslouljuvan'ya
Je suis tombé en panne à...	У меня остановилась машина в...	ou myinya astanavilas' machuna v

Nous sommes sur l'autoroute Odessa-Kiev, à environ 15 km de Kiev.	Мы на шоссе Одесса-Киев, приблизительно в 15 километрах от Киева.	mu na chassyè adyèssa-kiyèfs priblyizityèl'na v 15 kilamyètraf at kiyèva
Pouvez-vous envoyer un mécanicien?	Можно прислать механика?	mojna prisslat' myèkhanika
Pouvez-vous envoyer une dépanneuse?	Можно прислать грузовик и взять на буксир мою машину?	mojna prisslat' grouzavik i vzyat' na bouksir mayou machunou
Combien de temps faut-il compter?	Когда вы приедете?	kagda vu priyèdyityi

Phase 2 – Au garage

Pouvez-vous m'aider?	Вы можете мне помочь?	vu mojutyi mnyè pamotch'
Etes-vous le mécanicien?	Вы механик?	vu myèkhanyik
Je ne sais pas ce qui ne va pas.	Я не знаю, что случилось.	ya nyi znayou chto sloutchyilass'
Je crois que c'est... qui ne va pas.	Я думаю, что ... не в порядке.	ya doumayou chto... nyè f paryatkyè
allumage	зажигание	zajuganyiyè
ampoules	лампы	lammpu
avertisseur	гудок	goudok
batterie	аккумулятор	akoumoulyatar
bougies	свечи	svyètchyi
catadioptres	отражатели	atrajatyèlyi
clignotant	указатель поворота	oukazatyèl' pavorota
contact	контакт	kantakt
direction	рулевое управление	roulyèvoyè oupravlyènyiyè
dynamo	динамо	dyinamo
embrayage	сцепление	stsèplyènyiyè
essuie-glaces	стеклоочистители	styèkloatchisтyityèlyi
feux	свет	svyèt
feux arrière	хвостовое/освещение	khvastavoyè/asvyèchtchyènyiyè
feux de stop	тормозные огни	tarmaznuyè aghnyi
freins	тормоза	tarmaza
frein à main	ручной тормоз	routchnoï tormass

moteur	мотор	mator
pédale	педаль	pyidal'
phares	фары	faru
phare-code	переключатель переднего освещения	pyèryèklyoutchyatyèl' pyèryèdnyèva asvyèchtchènyiya
roues	колёса	kalyossa
starter	стартер	startyèr
suspension	подвеска	padvièska
système électrique	электрооборудование	èlyèktraabaroudavanyiyè
système de lubrification	система смазки	sistyèma smaski
système de refroidissement	охлаждение	akhlajdyènyiya
transmission	коробка передач	karopka pyèryèdatch
vitesses	передачи	pyèryèdatchi

GAUCHE	DROITE	AVANT	ARRIÈRE
СЛЕВА	СПРАВА	ПЕРЕДНЯЯ СТОРОНА	ЗАДНЯЯ СТОРОНА
(slyèva)	(ssprava)	(pyèryèdnaya starana)	(zadnyaya starana)

C'est / Cela...

bloqué	заело	zayèla
fait du bruit	шумит	choumit
brûlé	сгорело	sgaryèla
cassé	сломалось	slamalass'
coincé	заело	zayèla
il y a un court-circuit	замыкает накоротко	zamukayèt nakarotka
débranché	разъединилось	razèdyinyilass'
défectueux	испорчено	isportchyèna
faible	слабо	slaba
fêlé	треснуло	tryèsnoula
ne fonctionne pas	не действует	nyè dyeïstvouyèt
fuit	течёт	tyitchyot
gelé	замёрзло	zamyorzla
a du jeu	болтается	baltayitsya
il y a du jeu (courroie)	разболталось	razbaltalass'

mauvais	плохо	plokha
patine	буксует	bouksouyèt
il y a des ratés	перебой зажигания	pyèryèboï zajuganyiya
sec	высохло	vussakhla
suinte	утечка	outyètch'ka
surchauffé	перегревается	pyèryègryèvayètsya
tape	стучит	stoutchyit
usé	износилось	iznossilass'
vibre	вибрирует	vibrirouyèt
La voiture ne démarre pas.	Мотор не запускается.	mator nyè zapouskayètsya
Elle est fermée et les clés se trouvent à l'intérieur.	Автомобиль заперт, а ключи внутри.	aftamabil' zapyèrt a klyoutchi vnoutri
Le radiateur coule.	Радиатор течёт.	radyator tyitchyot
Il faut régler le ralenti.	Нужно отрегулировать холостой ход.	noujna atryègoulyiravat' khalastoï khot
L'embrayage s'engage trop rapidement.	Сцепление слишком быстрое.	stsuplyènyiyè slyichkamm bustrayè
Le volant vibre.	Рулевое колесо вибрирует.	roulyèvoyè kalyèsso vibrirouyèt
Les essuie-glaces sont sales.	Стеклоочистители плохо действуют.	styèklaatchyistyityèlyi plokha dyèïstvouyout
La suspension pneumatique est faible.	Пневматическая система слаба.	pnyèvmatyitchyèskaya sistyèma slaba
Il faut régler l'accélérateur.	Нужно отрегулировать педаль.	noujna atryègoulyiravat' pyèdal'

Maintenant que vous avez expliqué votre panne, vous désirez connaître la durée de la réparation afin de prendre vos dispositions.

| Combien de temps vous faudra-t-il pour la réparer? | Сколько времени займёт ремонт? | skol'ka vryèmyènyi zaïmyot ryimonnt |
| Combien de temps vous faudra-t-il pour trouver ce qui ne va pas? | Когда вы будете знать, что не в порядке? | kagda vu boudyètyè znat' chto nyi f paryatkyè |

Puis-je revenir dans une demi-heure (demain) ?	**Мне прийти через полчаса (завтра)?**	mnyè priy**tyi** tchyè**riss** poltchyi**ssa** (**za**ftra)
Y a-t-il un hôtel près d'ici ?	**Есть ли поблизости гостиница?**	yèst' lyi pab**ly**izastyi gas**ty**inyitsa
Puis-je téléphoner ?	**Можно от вас позвонить?**	**mo**jna at vass pazva**ny**it'

Phase 3 – Cause de la panne

C'est maintenant au mécanicien de localiser la panne et d'y remédier. Quant à vous, montrez-lui le texte russe qui suit.

Просмотрите, пожалуйста, этот алфавитный список и укажите повреждённую часть. Если ваш клиент захочет узнать, что не в порядке, выберите подходящий термин из второго списка (сломан, короткое замыкание и.т.д).*

автоматическая передача	transmission automatique
аккумулятор	batterie
аккумуляторная жидкость	eau de la batterie
аккумуляторные элементы	éléments de la batterie
амортизатор	amortisseur
бензиновый насос	pompe d'alimentation
блок	bloc-cylindre
вал	arbre
валы	tiges
вентилятор	ventilateur
водяной насос	pompe à eau
воздушный фильтр	filtre à air
головка цилиндра	culasse

* Veuillez consulter la liste alphabétique suivante et indiquer la pièce défectueuse. Si votre client désire savoir ce qui ne va pas, cherchez le terme correspondant dans la liste qui suit (cassé, court-circuit, etc.).

динамо	dynamo
диск муфты сцепления	disque d'embrayage
запальные свечи	bougies
зубцы	dents
зубчатая рейка и шестерня	crémaillère
кабель запальной свечи	fils des bougies
кабель распределителя зажигания	fils du distributeur
карбюратор	carburateur
карданный шарнир	joint de cardan
картер коленчатого вала	carter-cylindre
картер рулевого управления	boîte de direction
катушка зажигания	bobine d'allumage
клапан	soupape
коленчатый вал	arbre de transmission
колеса	roues
колодки	mâchoires du frein
колонка руля	colonne de direction
кольца	segments
контакт	contact
коробка передач	transmission
коробка скоростей	boîte à vitesses
масляный фильтр	filtre à huile
мембрана	diaphragme
мотор	moteur
насос	pompe
основной подшипник	coussinets de palier
педаль сцепления	pédale d'embrayage
передача	vitesses
переключение	connection
пневматическая подвеска	suspension pneumatique
подшипник	coussinet
поплавок	flotteur
поршень	piston
поршневые кольца	segments de piston
прокладка	garniture de freins
прокладка головки цилиндра	joint de culasse
пружины амортизатора	ressorts du mécanisme d'embrayage
радиатор	radiateur
распределитель зажигания	distributeur
распределительный вал	arbre à cames
рессоры	ressorts
рулевое управление	direction
система охлаждения	système de refroidissement
стабилизатор	stabilisateur
стартер	starter

сцепление	embrayage
термостат	thermostat
топливный фильтр	filtre à essence
тормоз	frein
тормозной барабан	tambour de frein
трос	câble
цилиндр	cylindre
щетки	balais
электрооборудование	installation électrique

В следующем списке находятся слова, объясняющие, что случилось с машиной или что нужно с нею сделать.*

быстрый	vite
вибрирует	vibre
возобновить	regarnir
высокий	haut
грязный	encrassé
деформированный	déformé
зазор	jeu
заменить	remplacer
замерз	gelé
зарядить	recharger
застрял	coincé
затянуть	serrer
изношен	usé
короткий	court
короткое замыкание	court-circuit
низкий	bas
ослаб	a du jeu
ослабить	desserrer
отрегулировать	régler

* La liste suivante contient des termes désignant la cause de la panne et le moyen d'y remédier.

перебой зажигания	a des ratés
перегревается	chauffe trop
поврежден	défectueux
почистить	nettoyer
притереть	roder
прокол	crevaison
ржавый	corrodé
сгорел	brûlé
слабый	jeu/vibre
слить	couler
сломан	bloqué
сменить	changer
стучит	tape
сухой	sec
течет	fuit
треснул	fêlé
уравновесить	équilibrer
утечка	écoulement

Phase 4 – La réparation

Avez-vous trouvé la défectuosité?	Вы нашли поломку?	vu nachlyi palommkou

Maintenant que vous savez ce qui ne va pas, ou à peu près, vous aimeriez savoir...

Est-ce grave?	Серьёзная поломка?	syèr'yoznaya palommka
Pouvez-vous le réparer?	Вы сможете исправить?	vu smojutyi ispravit'
Pouvez-vous le faire maintenant?	Сможете исправить сразу?	smojutyi ispravit' srazou
Combien cela va-t-il coûter?	Сколько это будет стоить?	skol'ka èta boudit stoit'
Avez-vous les pièces de rechange?	Запчасти у вас есть?	zaptchastyi ou vass yèst'

Que faire s'il dit «non»

Pourquoi ne pouvez-vous pas le faire?	**Почему вы не можете исправить?**	patchyi**mou** vu nyè moj**è**tyè is**pra**vit'
Cette pièce est-elle vraiment indispensable?	**Эта часть необхо-дима?**	**è**ta tchyast' nyiapkha-**dy**ima
Combien de temps faut-il pour obtenir les pièces de rechange?	**Сколько нужно вре-мени, чтобы достать запчасти?**	skol'ka **nouj**na vr**yè**myinyi **chto**bu da**stat**' zap**tchya**sti
Où se trouve le garage le plus proche qui puisse me faire cette réparation?	**Где ближайшая станция обслужи-вания, где это могут исправить?**	gdyè blyija**ï**chaya **stann**tsiya ab**slou**juvanyiya gdyè **è**ta **mo**gout is**pra**vit'
Pouvez-vous effectuer une réparation provi-soire pour me per-mettre d'arriver à...?	**Вы можете попра-вить так, чтобы мне доехать до...?**	vu **mo**jutyi pa**pra**vit' tak **chto**bu mnyè day**è**khat' da

Si vous êtes vraiment immobilisé, demandez si vous pouvez laisser votre voiture au garage. Prenez contact avec le bureau Intourist le plus proche. Il vous procurera une autre voiture.

La facture

Tout est réparé?	**Всё готово?**	fsyo **ga**tova
Combien vous dois-je?	**Сколько я вам должен?**	**skol**'ka ya vamm **dol**junn

Le garage vous présentera alors sa facture. Si vous êtes satisfait...

Dois-je payer en roubles ou en bons Intourist?	**Платить рублями или талонами Интуриста?**	pla**tyit**' rou**bly**ami ily talonami inn**tou**rista
Acceptez-vous les chèques de voyage?	**Берёте ли вы дорожные чеки?**	by**èryo**tyi lyi vu daroj**nuyè tchyè**ki
Merci beaucoup pour votre aide.	**Большое спасибо!**	bal'**choyè** spa**ssi**ba
Voici pour vous.	**Это вам.**	**è**ta vamm

Si vous avez l'impression que le travail a été mal fait, et que le montant de la facture n'est pas justifié, demandez au garagiste le détail de cette facture. Au besoin, faites-la traduire avant de la payer.

Je voudrais d'abord vérifier la facture. Voulez-vous m'en donner le détail ?	Я хотел бы сперва посмотреть квитанцию. Пожалуйста, перечислите, что вы сделали.	ya khatyèl bu spyèrva pasmatryèt' kvitanntsiyou. pajalousta pyiryitchyislyityi chto vu zdyèlalyi

Si le garagiste ne veut pas admettre qu'il est dans son tort alors que vous êtes persuadé d'avoir raison, obtenez l'assistance d'un tiers.

Panneaux de signalisation européens

Voici un choix de signaux routiers spécifiques à quelques pays d'Europe que vous aurez peut-être l'occasion de traverser:

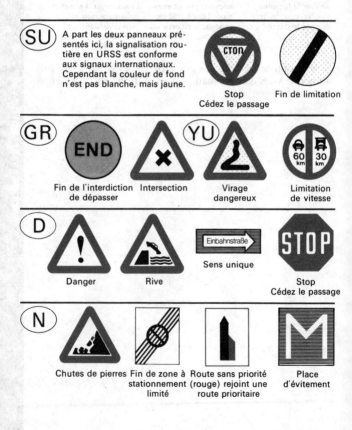

(SU) A part les deux panneaux présentés ici, la signalisation routière en URSS est conforme aux signaux internationaux. Cependant la couleur de fond n'est pas blanche, mais jaune.

Stop
Cédez le passage

Fin de limitation

(GR)

Fin de l'interdiction de dépasser

Intersection

(YU)

Virage dangereux

Limitation de vitesse

(D)

Danger

Rive

Sens unique

Stop
Cédez le passage

(N)

Chutes de pierres

Fin de zone à stationnement limité

Route sans priorité (rouge) rejoint une route prioritaire

Place d'évitement

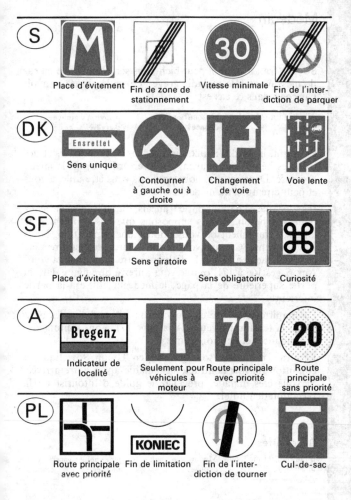

161

S

Place d'évitement | Fin de zone de stationnement | Vitesse minimale | Fin de l'interdiction de parquer

DK

Ensrettet
Sens unique | Contourner à gauche ou à droite | Changement de voie | Voie lente

SF

Place d'évitement | Sens giratoire | Sens obligatoire | Curiosité

A

Bregenz
Indicateur de localité | Seulement pour véhicules à moteur | 70 Route principale avec priorité | 20 Route principale sans priorité

PL

Route principale avec priorité | KONIEC Fin de limitation | Fin de l'interdiction de tourner | Cul-de-sac

Médecin

Soyons francs: à quoi peut bien vous servir un guide en cas de blessures ou de maladie grave? La seule phrase à savoir par cœur dans ce cas est:

Appelez un médecin, vite!	**Позовите врача – скорее!**	pazavityè vra**tchya** skar**yèyè**

Pourtant, il y a des maux, des douleurs, des malaises et des troubles bénins qui peuvent bouleverser le voyage le mieux organisé. Dans ces cas, nous pouvons vous être utile, à vous et peut-être aussi au médecin.

Il arrive que ce dernier parle français, ou qu'il en sache assez pour vos besoins. Mais supposons que des problèmes de langue l'empêchent de vous donner une explication. Nous y avons pensé. Comme vous le constaterez, ce chapitre a été conçu de façon à établir le dialogue entre le médecin et vous. Aux pages 165 à 171, ce que vous aurez à dire figure dans la partie supérieure de la page; le médecin utilisera la partie inférieure.

Le chapitre est divisé en trois parties: la maladie, les blessures, la tension nerveuse. A la page 171, nous traitons des ordonnances et des honoraires.

Les frais médicaux sont gratuits en Union Soviétique, à condition d'avoir contracté la maladie après votre arrivée. Si vous êtes malade, prévenez le guide d'Intourist ou la réception de l'hôtel.

Généralités

Il me faut un médecin, vite!	**Мне нужен врач – скорее!**	mnyè **nou**jèn vratch skar**yèyè**

Y a-t-il un médecin dans l'hôtel/ l'immeuble ?	**Есть ли врач в гостинице/в доме?**	yèst' lyi vratch v ga**sty**inyitsè/v **do**myè
Où puis-je trouver un médecin qui parle français ?	**Где найти врача, который говорит по-французски?**	gdyè naïtyi vrat**chya** ka**to**ruy gava**rit** pa frann**tsou**ski
Où est le cabinet du médecin/la clinique ?	**Где кабинет врача/ поликлиника?**	gdyè kabin**yèt** vrat**chya**/ pali**kli**nika
Quelles sont les heures de consultations ?	**Когда приём?**	kag**da** priy**om**
Le médecin pourrait-il venir me voir ?	**Может ли врач прийти ко мне?**	**mo**jut li vratch priy**ti** ka mnyè
A quelle heure peut-il venir ?	**В котором часу придёт врач?**	f kato**ramm** tchya**ssou** prid**yot** vratch

Symptômes

Utilisez ce chapitre pour dire au médecin ce qui ne va pas. Ce qu'il voudra savoir, c'est :

> **ce que vous avez** (maux, douleurs, contusions, etc.)
> **où vous avez mal** (au bras, à l'estomac, etc.)
> **depuis combien de temps** (vous souffrez)

Avant de consulter le médecin, cherchez la réponse à ces questions dans les pages de ce chapitre. Vous économiserez un temps précieux.

Parties du corps

amygdales	**миндалины**	minn**da**lyinu
appendice	**апендикс**	apy**èn**diks
artère	**артерия**	arty**è**riya
articulation	**сустав**	sous**taf**
bouche	**рот**	rot
bras	**рука**	rou**ka**
cheveux	**волосы**	vo**la**ssu
cheville	**лодыжка**	lo**duch**ka
clavicule	**ключица**	klyou**tchit**sa
cœur	**сердце**	sy**èrt**sè
colonne vertébrale	**позвоночник**	pazvano**tch'nyik**
côte	**ребро**	ry**ibro**

cou	шея	chèya
coude	локоть	lokat'
cuisse	бедро	byidro
doigt	палец	palyèts
dos	спина	spina
épaule	плечо	plyitchyo
estomac	желудок	jeloudak
foie	печень	pyètchyèn'
front	лоб	lop
genou	колено	kalyèna
glande	железа	julyiza
gorge	горло	gorla
hanche	бедро	byidro
intestins	кишки	kichki
jambe	нога	naga
joue	щека	chtchyèka
langue	язык	yazuk
lèvre	губа	gouba
mâchoire	челюсть	tchyèloust'
main	рука	rouka
menton	подбородок	padbarodak
muscle	мышца	muchtsa
nerf	нерв	nyèrf
nez	нос	noss
œil	глаз	glas
oreille	ухо	oukha
orteil	палец на ноге	palyèts na naghyè
os	кость	kost'
peau	кожа	koja
pied	нога	naga
poignet	запястье	zapastyè
poitrine	грудная клетка	groudnaya klyètka
pouce	большой палец	bal'choï palyèts
poumon	лёгкие	lyokhkiyè
rein	почка	potch'ka
rotule	коленная чашечка	kalyènnaya tchyachètch'ka
sang	кровь	krof'
sein	грудь	grout'
système nerveux	нервная система	nyèrvnaya sistyèma
talon	пятка	pyatka
tendon	сухожилие	soukhajulyiyè
tête	голова	galava
urine	моча	matcha
veine	вена	vyèna
vessie	мочевой пузырь	matchyèvoï pouzur'
visage	лицо	lyitso

LE PATIENT

Première partie – La maladie

Je ne me sens pas bien.	Я плохо себя чувствую.	ya **plo**kha syi**by**a **tchyous**tvouyou
Je suis malade.	Я болен.	ya **bo**lyèn
J'ai mal ici.	Тут болит.	tout ba**ly**it
Son/Sa... lui fait mal.	У него/У неё болит...	ou **ny**ivo/ou **ny**iyo ba**ly**it
J'ai...	У меня...	ou **my**inya
mal à la tête	головная боль	gala**vna**ya bol'
mal au dos	боль в спине	bol' f spi**ny**è
de la fièvre	температура	tyimmpira**tou**ra
mal à la gorge	болит горло	ba**ly**it **go**rla
Je suis constipé.	У меня запор	ou **my**inya za**por**
J'ai vomi.	Меня рвёт.	**my**inya rvyot

LE MÉDECIN

Болезнъ

Что случилось?	De quoi souffrez-vous?
Что у вас болит?	Où avez-vous mal?
Давно болит?	Depuis quand souffrez-vous?
Давно вы это ощущаете?	Depuis combien de temps êtes-vous dans cet état?
Засучите рукав.	Relevez votre manche, s.v.p.
Разденьтесь, пожалуйста (до пояса).	Déshabillez-vous (jusqu'à la taille), s.v.p.
Снимите, пожалуйста, брюки и нижнее бельё.	Otez votre pantalon et votre slip, s.v.p.

LE PATIENT

Je me sens mal.	Я болен.	ya bolyèn
Je me sens faible.	У меня дурнота.	ou myinya dournata
J'ai des nausées.	Меня тошнит.	myinya tachnyit
J'ai des frissons.	У меня озноб.	ou myinya aznop
J'ai/Elle a/Il a...	У меня/У него/ У неё...	ou myinya/ou nyivo/ ou nyiyo

abcès	нарыв	naruf
amygdalite	воспаление миндалин	vaspalyènyiyè minndalyinn
asthme	одышка	aduchka
constipation	запор	zapor
convulsions	судороги	soudaraghi
coqueluche	коклюш	kaklyouch
coup de soleil	солнечный ожог	solnyètch'nuy ajok
crampes	спазмы	spasmu
diarrhée	понос	panoss
fièvre	температура	tyimmpyiratoura
furoncle	фурункул	fourounnkoul
grippe	грипп	grip

LE MÉDECIN

Ложитесь сюда, пожалуйста.	Etendez-vous ici, s.v.p.
Откройте рот.	Ouvrez la bouche.
Сделайте глубокий вдох.	Respirez profondément.
Кашляните, пожалуйста.	Toussez, s.v.p.
Я вам измерю температуру.	Je vais prendre votre température.
Я вам измерю давление.	Je vais prendre votre tension.
Это у вас впервые?	Est-ce la première fois que vous en souffrez?
Я вам сделаю укол.	Je vais vous faire une piqûre.
Я возьму у вас мочу на анализ.	Je voudrais un prélèvement d'urine.

LE PATIENT

hémorroïdes	геморрой	ghyimmaroï
hernie	грыжа	gruja
indigestion	расстройство же-лудка	rasstroïstva juloutka
inflammation de...	воспаление...	vaspalyènyiyè
insolation	солнечный удар	solnyètch'nuy oudar
nausées matinales	тошнота по утрам	tachnata pa outramm
refroidissement	простуда	prastouda
rhumatisme	ревматизм	ryèvmatizm
rhume	простуда	prastouda
rhume des foins	сенная лихорадка	syinnaya lyikharatka
torticolis	надуло шею	nadoula chèyou
ulcère	язва	yazva

| Ce n'est pas grave, j'espère? | Ничего серьёзного, правда? | nyitchyivo syir'yoznava pravda |
| Pouvez-vous me prescrire des médicaments? | Пропишите мне, по-жалуйста, лекарство. | prapichutyi mnyè pajalousta lyikarstva |

LE MÉDECIN

Ничего серьёзного.	Il n'y a pas lieu de s'inquiéter.
Вы должны ... дней полежать в постели.	Il vous faut garder le lit pendant... jours.
У вас...	Vous avez...
простуда/артрит/воспаление лёгких/грипп/отравление/воспаление...	un refroidissement/de l'arthrite/une pneumonie/la grippe/une intoxication alimentaire/une inflammation de...
Вы переутомились. Вам нужен покой.	Vous êtes surmené. Vous avez besoin de repos.
Я вас пошлю к специалисту.	Il vous faut consulter un spécialiste.
Я вас направлю в стационар на исследования.	Il faut vous rendre à l'hôpital pour un examen général.
Я вам назначу антибиотики.	Je vais vous prescrire des antibiotiques.

LE PATIENT

Je suis diabétique.	У меня диабет.	ou myi**nya** dyia**byèt**
Je suis cardiaque.	У меня больное сердце.	ou myi**nya** bal'**no**yè **syèrd**tsyè
J'ai eu une attaque en...	У меня был сердечный приступ в...	ou myi**nya** bul syèr**dyèt**chnuy **pryi**stoup f
Je suis allergique à...	Я не переношу...	ya nyi pyiryina**chou**
Voici mon médicament habituel.	Я обычно принимаю это лекарство.	ya a**butch**na pryinyi**ma**you èta **lyè**karstva
Il me faut ce médicament.	Мне нужно это лекарство.	mnyè **nouj**na èta **lyè**karstva
J'attends un enfant.	Я беременна.	ya byi**ryè**myinna
Puis-je voyager?	Можно ли мне продолжать путешествие?	**moj**na lyi mnyè pradal**jat'** poutyè**chès**tviyè

LE MÉDECIN

Сколько вы принимаете инсулина?	Quelle dose d'insuline prenez-vous?
Уколы или стоматически?	En injection ou par voie orale?
Какое вы принимали лекарство?	Quel médicament avez-vous pris?
У вас (лёгкий) сердечный приступ.	Vous avez eu une (légère) attaque.
У нас в Советском Союзе... нет. Это почти такое же лекарство.	... n'existe pas en Union Soviétique. Ceci est équivalent.
Когда вы ждёте ребёнка?	Quand l'enfant doit-il naître?
Вы не можете продолжать путешествие до...	Vous ne pourrez pas voyager avant...

MEDECIN

LE PATIENT

Deuxième partie – Blessures

Pouvez-vous examiner ce/cet/cette...?	Посмотрите, пожалуйста, этот...	pasma**try**ityè pa**ja**lousta **è**tat
ampoule	волдырь	val**dur'**
blessure	рану	**ra**nou
bosse	шишку	**chuch**kou
brûlure	ожог	a**jok**
contusion	ушиб	ou**chup**
coupure	порез	par**yès**
enflure	опухоль	o**poukhal'**
écorchure	ссадину	**ssa**dyinou
éruption	сыпь	sup
furoncle	фурункул	fou**rounn**koul
morsure	укус	ou**kouss**
piqûre (d'insecte)	укус насекомого	ou**kouss** nasyè**ko**mava
Je ne peux pas bouger.	Я не могу двигать.	ya nyi ma**gou dvi**gat'
Ça me fait mal.	она/он болит.	a**na**/on **ba**lyit

LE MÉDECIN

Раны

Есть заражение (заражения нет).	Il y a (il n'y a pas) infection.
Я хочу сделать вам рентген.	Il vous faut un examen radiographique.
Он/она...	C'est...
сломан/растянут вывихнут/разорван	cassé/foulé déboîté/déchiré
Вы растянули мышцу.	Vous vous êtes froissé un muscle.
Я вам дам антисептическое средство. Ничего опасного нет.	Je vais vous donner un antiseptique. Il n'y a rien de grave.
Придите ко мне через... дней.	Revenez me voir dans... jours.

LE PATIENT

Troisième partie – Tension nerveuse

Je suis très nerveux.	У меня не в порядке нервы.	ou myinya nyi f paryatkyè nyèrvu
Je me sens déprimé.	У меня депрессия.	ou myinya dèprèssyiya
Je voudrais des somnifères.	Мне нужно снотворное.	mnyè noujna snatvornayè
Je ne peux pas manger/dormir.	Я не ем/не сплю.	ya nyi yèm/nyi splyou
Je fais des cauchemars.	У меня кошмары.	ou myinya kachmaru
Pourriez-vous me prescrire...?	Пропишите мне, пожалуйста...	prapyichutyi mnyè pajalousta
un tranquillisant un antidépressif	успокоительное средство против депрессии	ouspakaïtyil'nayè sryètstva protyif dèpryèssyi

LE MÉDECIN

Нервное расстройство

У вас нервное расстройство.	Vous êtes hypertendu.
Вам нужен покой.	Vous avez besoin de repos.
Какие таблетки вы принимаете?	Quels comprimés avez-vous pris?
Сколько таблеток в день?	Combien par jour?
Давно вы себя так чувствуете?	Depuis quand vous sentez-vous ainsi?
Я вам пропишу таблетки.	Je vais vous prescrire des pilules.
Я вам дам успокоительное.	Je vais vous donner un sédatif.

MEDECIN

LE PATIENT

Ordonnances et posologie

Quelle sorte de médicament est-ce ?	Какое это лекарство?	kakoyè èta lyikarstva
Combien de fois par jour faut-il le prendre ?	Сколько раз в день принимать?	skol'ka raz v dyèn' prinyimat'
Dois-je les avaler entiers ?	По целой таблетке?	pa tsèlaï tablyètkyè
Peut-on acheter ce médicament dans n'importe quelle pharmacie ?	Это лекарство можно купить в любой аптеке?	èta lyikarstva mojna koupit' v lyouboï aptyèkè
Où est la meilleure pharmacie de la ville ?	Где самая лучшая аптека города?	gdyè samaya loutch'chaya aptyèka gorada
Ce médicament est-il cher ?	Это лекарство дорогое?	èta lyikarstva daragoyè
Merci de votre aide, docteur.	Спасибо за помощь, доктор.	spassiba za pomachch' doktar

---

LE MÉDECIN

Лекарства и дозы

Принимайте это лекарство по... чайных ложки каждые... часа.	Prenez... cuillerées à café de ce médicament toutes les... heures.
Принимайте по ... таблетки, запивайте водой...	Prenez... pilules avec un verre d'eau...
... раз в день	... fois par jour
перед каждой едой	avant chaque repas
после каждой еды	après chaque repas
утром	tous les matins
вечером	chaque soir

Dentiste

Pouvez-vous me recommander une bonne clinique dentaire?	Не знаете ли вы хорошую стоматологическую поликлинику?	nyi znayityi lyi vu kharochouyou stamatalaghitchyèskouyou palyiklyinyikou
Quelles y sont les heures de consultations?	Когда там приём?	kagda tam priyomm
Combien de temps devrai-je attendre?	Сколько мне придётся ждать?	skol'ka mnyè pridyotsya jdat'
C'est à mon tour, je crois.	Теперь моя очередь.	tyipyèr' maya otchyèryèt'
J'ai mal aux dents.	У меня болит зуб.	ou myinya balit zoup
J'ai un abcès.	У меня нарыв.	ou myinya naruf
Cette dent me fait mal.	Этот зуб болит.	ètat zoup balyit
en haut	сверху	svyèrkhou
en bas	снизу	snyizou
devant	впереди	fpyiryidyi
derrière	сзади	ssadyi
Pouvez-vous faire un traitement provisoire?	Нельзя ли залечить это временно?	nyil'zya lyi zalyètchyit' èta vryèmyinna
Je ne voudrais pas la faire arracher.	Если возможно, зуб не вырывайте.	yèslyi vazmojna zoup nyi vuruvaïtyè
J'ai perdu un plombage.	Выпала пломба.	vupala plommba
La gencive est très douloureuse/La gencive saigne.	Десна очень воспалена/Десна кровоточит.	dyèsna otchyinn vaspalyina/dyèsna kravatatchyit

Dentiers

J'ai cassé mon dentier.	Я сломал протез.	ya slamal pratès
Pouvez-vous faire réparer ce dentier?	Можно починить этот протез?	mojna patchyinyit' ètat pratès
Quand sera-t-il prêt?	Когда он будет готов?	kagda on boudyit gatof

Opticien

J'ai cassé mes lunettes.	Я сломал очки.	ya slamal atch'ki
Pouvez-vous me les réparer?	Можно их починить?	mojna ikh patchyinyit'
Quand seront-elles prêtes?	Когда они будут готовы?	kagda anyi boudout gatovu
Pouvez-vous changer les verres?	Можно ли переменить стёкла?	mojna lyi pyiryimyinyit' styokla
Je voudrais des lunettes de soleil.	Мне нужны тёмные очки.	mnyè noujnu tyommnuyè atch'ki
Je voudrais acheter une paire de jumelles.	Я хотел бы купить бинокль.	ya khatyèl bu koupit' binokl'
Combien vous dois-je?	Сколько я вам должен?	skol'ka ya vamm doljunn

Renseignements généraux

D'où venez-vous?

Cette page vous aidera à expliquer d'où vous êtes, où vous avez été et où vous allez.

Afrique	Африка	afrika
Afrique du Sud	Южная Африка	you**j**naya afrika
Allemagne	Германия	gyèrmaniya
Amérique du Nord	Северная Америка	syèvvyirnaya ammyèrika
Amérique du Sud	Южная Америка	yu**j**naya ammyèrika
Asie	Азия	aziya
Australie	Австралия	afstralyiya
Autriche	Австрия	afstriya
Belgique	Бельгия	byèl'ghiya
Bulgarie	Болгария	balgariya
Canada	Канада	kanada
Chine	Китай	kitaï
Danemark	Дания	dannyiya
Espagne	Испания	ispaniya
Europe	Европа	yèvropa
Finlande	Финляндия	finn**l**yanndiya
France	Франция	franntsuya
Grande-Bretagne	Великобритания	vyèlikabryètanyiya
Hollande	Голландия	ga**lann**dyiya
Hongrie	Венгрия	vyèngriya
Inde	Индия	inndiya
Italie	Италия	italyiya
Japon	Япония	yaponyiya
Luxembourg	Люксембург	l'ouksyimmbourgh
Norvège	Норвегия	narvyèghiya
Nouvelle-Zélande	Новая Зеландия	novaya zyèlanndiya
Pologne	Польша	pol'cha
Roumanie	Румыния	roumunyiya
Scandinavie	Скандинавия	skandinaviya
Suède	Швеция	chvyètsuya
Suisse	Швейцария	chveïtsariya
Tchécoslovaquie	Чехословакия	tchyèkhaslavakiya
Turquie	Турция	tourtsuya
USA	Соединённые Штаты Америки	sayidyinyonnnuyè chtatu amyèriki
URSS	Союз Советских Социалистических Республик	sayouss savyètskikh satsialyistitchyiskikh ryispoublyik
Yougoslavie	Югославия	yougaslaviya

Nombres

1	один	adyinn
2	два	dva
3	три	tri
4	четыре	tchyituryè
5	пять	pyat'
6	шесть	chèst'
7	семь	syèm'
8	восемь	vossyimm'
9	девять	dyèvyat'
10	десять	dyèssyat'
11	одиннадцать	adyinatsat'
12	двенадцать	dvinatsat'
13	тринадцать	trinatsat'
14	четырнадцать	tchyiturnatsat'
15	пятнадцать	pyitnatsat'
16	шестнадцать	chiznatsat'
17	семнадцать	syimmnatsat'
18	восемнадцать	vassyimmnatsat'
19	девятнадцать	dyèvyatnatsat'
20	двадцать	dvatsat'
21	двадцать один	dvatsat' adyinn
22	двадцать два	dvatsat'dva
23	двадцать три	dvatsat'tri
24	двадцать четыре	dvatsat' tchyituryè
25	двадцать пять	dvatsat' pyat'
26	двадцать шесть	dvatsat' chèst'
27	двадцать семь	dvatsat' syèm'
28	двадцать восемь	dvatsat' vossyim'
29	двадцать девять	dvatsat' dyèvyat'
30	тридцать	tritsat'
31	тридцать один	tritsat' adyinn
32	тридцать два	tritsat' dva
33	тридцать три	tritsat' tri
40	сорок	sorak
41	сорок один	sorak adyinn
42	сорок два	sorak dva
43	сорок три	sorak tri
50	пятьдесят	pidyissyat
51	пятьдесят один	pidyissyat adyinn
52	пятьдесят два	pidyissyat dva
53	пятьдесят три	pidyissyat tri
60	шестьдесят	chusdyissyat
61	шестьдесят один	chusdyissyat adyinn
62	шестьдесят два	chusdyissyat dva

63	шестьдесят три	chusdyi**ssyat** tri
70	семьдесят	s**yè**mdyissyat
71	семьдесят один	s**yè**mdyissyat a**dyi**nn
72	семьдесят два	s**yè**mdyissyat dva
73	семьдесят три	s**yè**mdyissyat tri
80	восемьдесят	voss**yè**mdyissyat
81	восемьдесят один	voss**yè**mdyissyat a**dyi**nn
82	восемьдесят два	voss**yè**mdyissyat dva
83	восемьдесят три	voss**yè**mdyissyat tri
90	девяносто	dyivv**yi**nosta
91	девяносто один	dyivv**yi**nosta a**dyi**nn
92	девяносто два	dyivv**yi**nosta dva
93	девяносто три	dyivv**yi**nosta tri
100	сто	sto
101	сто один	sto a**dyi**nn
102	сто два	sto dva
110	сто десять	sto d**yè**ssyat'
120	сто двадцать	sto d**va**tsat'
130	сто тридцать	sto tritsat'
140	сто сорок	sto **so**rak
150	сто пятьдесят	sto pidyi**ssyat**
160	сто шестьдесят	sto chuzdyi**ssyat**
170	сто семьдесят	sto s**yè**mdyissyat
180	сто восемьдесят	sto voss**yè**mdyissyat
190	сто девяносто	sto dyivv**yi**nosta
200	двести	dv**yè**styi
300	триста	**tri**sta
400	четыреста	tchyitur**yi**sta
500	пятьсот	pyat'**sot**
600	шестьсот	chus**sot**
700	семьсот	syimm'**sot**
800	восемьсот	vossyim'**sot**
900	девятьсот	dyivvit'**sot**
1000	тысяча	tus**yi**tchya
1100	тысяча сто	tus**yi**tchya sto
1200	тысяча двести	tus**yi**tchya dv**yè**styi
2000	две тысячи	dv**yè** tus**yi**tchyi
5000	пять тысяч	pyat' tus**yi**tch'
10,000	десять тысяч	d**yè**ssyat' tus**yi**tch'
50,000	пятьдесят тысяч	pidyi**ssyat** tus**yi**tch'
100,000	сто тысяч	sto tus**yi**tch'
1,000,000	миллион	mil**yo**nn
1,000,000,000	миллиард	mil**yart**

premier	**первый**	**py**è**rvuy**
deuxième	**второй**	**ftaroï**
troisième	**третий**	**tryè**tiyi
quatrième	**четвёртый**	**tchyitvyortuy**
cinquième	**пятый**	**pya**tuy
sixième	**шестой**	**chus**toï
septième	**седьмой**	**syid′moï**
huitième	**восьмой**	**vass′moï**
neuvième	**девятый**	**dyivya**tuy
dixième	**десятый**	**dyissya**tuy
une fois	**один раз**	**adyinn** ras
deux fois	**дважды**	**dva**jdu
trois fois	**трижды**	**tri**jdu
une moitié	**половина**	**pala**vina
un/une demi-...	**половина...**	**pala**vina
la moitié de...	**половина...**	**pala**vina
demi- (adj.)	**пол**	**pol**
un quart	**четверть**	**tchyè**tvyèrt′
un tiers	**треть**	**tryè**t′
une paire de	**пара**	**pa**ra
une douzaine	**дюжина**	**dyou**juna
1983	**тысяча девятьсот**	tus**y**itchya dyiv**y**itsot
	воземьдесят три	v**o**ss**y**èmdyissyat tri
1984	**тысяча девятьсот**	tus**y**itchya dyiv**y**itsot
	воземьдесят четыре	v**o**ss**y**èmdyissyat tchyituryè
1990	**тысяча девятьсот**	tus**y**itchya dyiv**y**itsot
	девяносто	dyiv**y**inosta

L'heure

четверть первого

(tchyètvyèrt′ pyèrvava)

двадцать минут второго

(dvatsat′ minout ftarova)

двадцать пять минут третьего

(dvatsat′ pyat′ minout tryèt′yiva)

половина четвёртого

(palavina tchyitvyortava)

без двадцати пяти пять

(byèz dvatsatyi pyityi pyat′)

без двадцати шесть

(byèz dvatsatyi chèst′)

без четверти семь

(byèz tchyètvyèrtyi syèm′)

без десяти восемь

(byèz dyisyityi vossyim′)

без пяти девять

(byèz pyityi dyèvyit′)

десять часов

(dyèssyit′ tchyissof)

пять минут двенадцатого

(pyat′ minout dvyinatsatava)

десять минут первого

(dyèssyit′ minout pyèrvava)

L'heure

Quelle heure est-il?	**Который час?**	katoruy tchyass
Il est:..	**Сейчас...**	sitchyass
Pardon. Pouvez-vous m'indiquer l'heure?	**Вы не скажете, который час?**	vu nyi skajutyi katoruy tchyass
Je vous rencontrerai demain à...	**Встретимся завтра в...**	fstryètyimmsya zaftra v
Veuillez excuser mon retard.	**Простите за опоздание.**	prastityi za apazdan'yè
Quelle est l'heure d'ouverture de...?	**Когда открывается...?**	kagda atkruvayitsya
A quelle heure ferme...?	**Когда закрывается...?**	kagda zakruvayitsya
Combien de temps cela durera-t-il?	**Сколько это займёт?**	skol'ka èta zaїmyot
A quelle heure cela se terminera-t-il?	**Когда это кончится?**	kagda èta konntchyitsya
A quelle heure dois-je arriver?	**Когда я должен там быть?**	kagda ya doljunn tamm but'
A quelle heure arriverez-vous?	**Когда вы там будете?**	kagda vu tamm boudyityi
Puis-je venir...?	**Можно мне прийти...**	mojna mnyè priytyi
à 8 heures	**в восемь часов**	v vossyim' tchyissof
à 2 heures et demie	**в половине третьего**	f palavyinyi tryèt'yiva
après/ensuite	**после/потом**	posslyi/patomm
avant/auparavant	**до/раньше**	do/rann'chyè
tôt	**рано**	rana
à l'heure	**во-время**	vovrimya
tard	**поздно**	pozna
minuit	**полночь**	polnatch'
midi	**полдень**	poldyèn'
heure	**час**	tchyass
minute	**минута**	minouta
seconde	**секунда**	sikounnda
quart d'heure	**четверть часа**	tchyètvyèrt' tchyissa
demi-heure	**полчаса**	paltchyissa

RENSEIGNEMENTS DIVERS

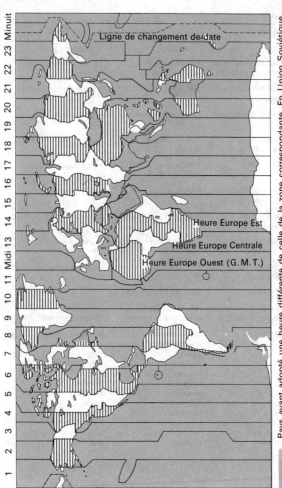

Minuit — 23 — 22 — 21 — 20 — 19 — 18 — 17 — 16 — 15 — 14 — 13 — Midi 11 — 10 — 9 — 8 — 7 — 6 — 5 — 4 — 3 — 2 — 1

Ligne de changement de date

Heure Europe Est

Heure Europe Centrale

Heure Europe Ouest (G. M. T.)

Pays ayant adopté une heure différente de celle de la zone correspondante. En Union Soviétique, l'heure officielle est avancée de 60 minutes. Durant l'été bien des pays sont en avance d'une heure sur le reste de l'année.

Jours

Quel jour sommes-nous?	Какой сегодня день?	kakoï syivodnya dyèn'
Dimanche	воскресенье	vaskryèsyèn'yè
Lundi	понедельник	pannyidyèl'nyik
Mardi	вторник	ftornyik
Mercredi	среда	sryida
Jeudi	четверг	tchyitvyèrk
Vendredi	пятница	pyatnyitsa
Samedi	суббота	soubota
le matin	утром	outramm
le jour	днём	dnyomm
l'après-midi	после обеда	poslyè abyèda
le soir	вечером	vyètchyiramm
la nuit	ночью	notch'you
hier	вчера	ftchyira
aujourd'hui	сегодня	syivodnya
demain	завтра	zaftra
la veille	за день до	za dyèn' da
le jour suivant	на другой день	na drougoï dyèn'
il y a deux jours	два дня тому назад	dva dnya tamou nazat
dans trois jours	через три дня	tchyèryèss tri dnya
la semaine passée	на прошлой неделе	na prochlaï nyidyèlyi
la semaine prochaine	на следующей неделе	na slyèdouyouchtch'yeï nyidyèlyi
pendant 2 semaines	на две недели	na dva nyidyèlyi
anniversaire	день рождения	dyèn' rajdyènyiya
congé, vacances	отпуск	otpousk
jour	день	dyèn'
jour de congé	выходной день	vukhadnoï dyèn'
jour de semaine	будний день	boudniy dyèn'
jour férié	праздник	praznyik
jour ouvrable	рабочий день	rabotchyi dyèn'
mois	месяц	myèsjats
semaine	неделя	nyidyèlya
vacances (scolaires)	каникулы	kannyikoulu
week-end	конец недели	kanyèts nyidyèlyi

Les mois

Janvier	январь	yinnvar'
Février	февраль	fyivral'
Mars	март	mart
Avril	апрель	apryèl'
Mai	май	maï
Juin	июнь	iyoun'
Juillet	июль	iyoul'
Août	август	avgoust
Septembre	сентябрь	syinntyabr'
Octobre	октябрь	aktyabr'
Novembre	ноябрь	nayabr'
Décembre	декабрь	dyikabr'

depuis le mois de juin	с июня	s iyounya
pendant le mois d'août	в августе	v avgoustyè
le mois dernier	прошлый месяц	prochluy myèsyats
le mois prochain	следующий месяц	slyèdouyouchtch'iy myèsyats
le mois précédent	месяц тому назад	myèsyats tamou nazat
le mois suivant	через месяц	tchyèryiss myèsyats
le 1ᵉʳ juillet	первое июля	pyèrvayè iyoulya
le 17 mars	семнадцатое марта	syimmnatsatayè marta

Voici comment dater une lettre :

Moscou, le 17 août 19..	**Москва, 17 августа 19..**
Kiev, le 1ᵉʳ juillet 19..	**Киев, 1 июля 19..**

Les saisons

printemps	весна	vyissna
été	лето	lyèta
automne	осень	ossyin'
hiver	зима	zima

au printemps	весной	vyissnoï
pendant l'été	летом	lyètamm
en automne	осенью	ossyin'you
pendant l'hiver	зимой	zimoï

Jours fériés officiels

Voici les principaux jours fériés en Union Soviétique, durant lesquels banques, bureaux et magasins sont fermés.

1er janvier	Nouvel-An
8 mars	Jour de la Femme
1er et 2 mai	Journées du Travail
9 mai	Jour de la Victoire
7 octobre	Jour de la Constitution
7 et 8 novembre	Jours commémoratifs de la Révolution d'Octobre

Tout au long de l'année...

Voici les températures moyennes enregistrées dans certaines villes soviétiques:

	Moscou	Leningrad	Kiev	Astrakan
Janvier	−10	− 8	− 6	− 7
Février	− 8	− 8	− 6	− 6
Mars	− 4	− 4	0	+ 1
Avril	+ 4	+ 3	+ 7	+10
Mai	+13	+10	+14	+18
Juin	+16	+14	+16	+23
Juillet	+19	+16	+19	+25
Août	+16	+16	+19	+23
Septembre	+10	+10	+13	+16
Octobre	+ 4	+ 4	+ 7	+10
Novembre	− 2	− 1	+ 1	+ 3
Décembre	− 7	− 6	− 4	− 2

Abréviations usuelles

Voici quelques abréviations russes que vous risquez de rencontrer.

в.	вольт	volt
г.	год	année
г.	город	ville
г.	грамм	gramme
др.	доктор	docteur
д.	дом	maison
ж.	женский	dames
и.т.д.	и так далее	etc.
км.	километр	kilomètre
коп.	копейка	kopeck
л.	литр	litre
м.	метр	mètre
м.	мужской	messieurs
наб.	набережная	quai, jetée
п/х.	пароход	bateau à vapeur
пер.	переулок	ruelle
пл.	площадь	place
пр.	проспект	avenue
проф.	профессор	professeur
р.	рубль	rouble
сек.	секунда	seconde
см.	смотри	voir
с.	сорт	sorte, qualité
СССР		URSS
тов.	товарищ	camarade
ул.	улица	rue
ч.	час	heure
шт.	штука	pièce

Que signifie cette inscription?

Vous rencontrerez certainement l'une ou l'autre de ces inscriptions durant votre voyage:

Без стука не входить	Frappez avant d'entrer
Берегись	Attention
Вход	Entrée
Входа нет	Entrée interdite
Вход свободный	Entrée libre
Выход	Sortie
Горячая	Chaud
Женский	Dames
Закрыто	Fermé
За нарушение штраф	Défense d'entrer sous peine d'amende
Занято	Réservé, occupé
Запасной выход	Sortie de secours
...запрещается	Défense de...
Звоните	Sonnez, s.v.p.
Касса	Caisse
Лифт	Ascenseur
Мужской	Messieurs
Не курить	Non-fumeurs
Опасно для жизни	Danger de mort
Осторожно собака	Attention, chien méchant
Посторонним вход воспрещён	Privé
Распродано	A louer
Руками не трогать	Ne pas toucher
Свободно	Libre
Справочное бюро	Information
Толкайте	Pousser
Тяните	Tirer
Холодная	Froid

Urgences

En cas d'urgence, il sera trop tard pour feuilleter ce livre et y trouver les termes russes appropriés. Jetez donc dès maintenant un coup d'œil à la liste ci-dessous et, pour plus de sûreté, apprenez les expressions en majuscules.

Allez-vous-en	Уходите	oukhadyityi
Appelez la police	Позовите милицию	pazavityi milyitsuyou
Appelez un médecin	Позовите врача	pazavityi vratcha
ARRÊTEZ	СТОЙ	stoï
Arrêtez cet homme	Держи его	dyèrju yivo
Arrêtez ou je crie	Перестаньте, а то я закричу	pyiryistann'tyi a to ya zakritchyou
Arrêtez-vous ici	Стойте тут	stoïtyi tout
ATTENTION	ОСТОРОЖНО	astarojna
Au feu	Пожар	pajar
AU SECOURS	НА ПОМОЩЬ	na pomachtch'
AU VOLEUR	ДЕРЖИ ВОРА	dyèrju vora
Couchez-vous	Ложитесь	lajutyiss
Danger	Опасно	apassna
Dépêchez-vous	Скорее	skaryeïyè
Ecoutez	Слушайте	slouchaityi
Ecoutez-moi	Послушайте меня	paslouchaityi myinya
Entrez	Входите	fkhadyityi
Gaz	Газ	gas
J'ai perdu...	Я потерял...	ya patyiryal...
Je me suis égaré	Я заблудился	ya zabloudyilsya
Je suis malade	Я болен	ya bolyèn
Laissez-moi tranquille	Оставьте меня	astaftyi myinya
POLICE	МИЛИЦИЯ	milyitsuya
Regardez	Посмотрите	pasmatrityi
Venez ici	Идите сюда	idyityi syouda
Vite	Быстро	bustra
Vite, du secours	Позовите быстро кого-нибудь на помощь	pazavityi bustra kavonyibout' na pomachtch'

POUR LES ACCIDENTS DE VOITURE, voir page 149

Numéros d'urgence

Ambulance _____

Service du feu _____

Police _____

Votre bloc-notes

Agence de voyages _____

Ambassade _____

Consulat _____

Garde d'enfant _____

Hôtel _____

Information aérienne _____

Restaurant _____

Taxi _____

_____

_____

_____

_____

_____

_____

_____

_____

RENSEIGNEMENTS DIVERS

Dépenses				
Date	Entretien	Distractions	Divers	Essence

Aide-mémoire

Numéro du passeport _____

_____

Compte courant _____

Carte de crédit _____

Numéro de la police d'assurance: _____

   Vie _____

   Voyage _____

   Véhicule _____

Carte de la sécurité sociale: _____

   (AVS-AI) _____

Carte grise _____

Permis de conduire _____

Numéro du châssis _____

Groupe sanguin _____

_____

_____

_____

_____

_____

_____

_____

_____

Index

Références pratiques

S'il vous plaît.	**Пожалуйста.**	pajalousta
Merci.	**Спасибо.**	spassiba
Oui/Non.	**Да/Нет.**	da/nyèt
Excusez-moi.	**Простите/Извините.**	prastyityi/izvinyityi
Garçon, s.v.p.	**Официант!**	afitsyi**annt**
Combien est-ce?	**Сколько это будет?**	skol'ka èta boudyit
Où sont les toilettes?	**Где туалет?**	gdyè toual**yèt**

туалет (toualyèt)	Toilettes
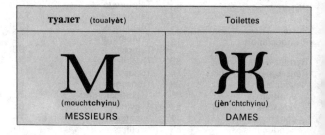	
(mouch**tchy**inu)	(jèn'chtchyinu)
MESSIEURS	DAMES

Pourriez-vous me dire...?	**Скажите, пожа-луйста...**	skajutyi pajalousta
Où est l'ambassade de...?	**Где посольство...?**	gdyé possol'stvo
France	**Франции**	franntsii
Belgique	**Бельгии**	byèlghii
Suisse	**Швейцарии**	chveïtsarii
Aidez-moi, s.v.p.	**Помогите мне, пожалуйста.**	pamaghityi mnyè pajalousta
Quelle heure est-il?	**Который час?**	katoruy tchyass
Qu'est-ce que cela signifie? Je ne comprends pas.	**Что это значит? Я не понимаю.**	chto èta znatchit. ya nyi panyimayou
Parlez-vous français?	**Вы говорите по-французкий?**	vu gavarityi pa franntsouski